3e

Présence du Futur/89

Fondation

DU MÊME AUTEUR
DANS LA MÊME COLLECTION

La fin de l'éternité
Histoires mystérieuses tomes 1 et 2
Quand les ténèbres viendront
L'amour vous connaissez ?
Les dieux eux-mêmes
Dangereuse Callisto
Noël sur Ganymède
Chrono-minets
La mère des mondes
Flûte, flûte et flûtes !
Cher Jupiter
L'homme bicentenaire
Dans le cycle de « Fondation »
Fondation et empire
Seconde Fondation
Fondation foudroyée

ISAAC ASIMOV

Fondation

roman

TRADUIT DE L'ANGLAIS
PAR JEAN ROSENTHAL

DENOËL

Titre original :

FOUNDATION

19, rue de l'Université, Paris 7e.

ISBN 2-207-30089-7

PREMIERE PARTIE

LES PSYCHOHISTORIENS

I

HARI SELDON : *Né en l'an 11988, mort en 12069 de l'Ere Galactique (—79 - an I de l'Ere de la Fondation), d'une famille bourgeoise d'Hélicon, dans le secteur d'Arcturus (où son père, s'il faut en croire une légende d'authenticité douteuse, était planteur de tabac dans une exploitation d'hydroponiques). Très jeune, il manifesta de remarquables dispositions pour les mathématiques : de nombreuses anecdotes circulent à ce sujet, dont certaines se contredisent. A l'âge de deux ans, paraît-il...*

C'est assurément dans le domaine de la psychohistoire qu'il a apporté la contribution la plus remarquable. Seldon n'avait trouvé qu'un ensemble de vagues aziomes ; il laissa une solide science statistique...

... On aura intérêt, si l'on désire se documenter de la façon la plus valable sur la vie de Seldon, à consulter la biographie due à Gaal Dornick, qui fit la connaissance du grand mathématicien deux ans avant sa mort. L'histoire de leur rencontre...

ENCYCLOPEDIA GALACTICA [1].

1. Toutes les citations de l'Encyclopedia Galactica reproduites ici, proviennent de la 116e édition, publiée en 1020 de l'Ere de la Fondation par la Société de Publication de l'Encyclopedia Galactica, Terminus, avec l'autorisation des Editeurs.

Il s'appelait Gaal Dornick et c'était un bon provincial qui n'avait encore jamais vu Trantor. Du moins, pas en réalité. Il l'avait vue bien des fois à l'hypervidéo, ou bien dans une bande d'actualités en 3 D à l'occasion du couronnement impérial ou de l'ouverture d'un concile galactique. Il avait beau vivre sur la planète Synnax, qui gravitait autour d'une étoile aux confins de la Nébuleuse bleue, il n'était pas coupé de toute civilisation. D'ailleurs, à cette époque, il en allait de même pour les habitants de tous les points de la Galaxie.

On comptait alors près de vingt-cinq millions de planètes habitées dans la Galaxie, toutes soumises à l'autorité impériale dont le siège se trouvait sur Trantor... pour une cinquantaine d'années encore.

Pour Gaal, ce voyage marquait l'apogée de sa jeune vie d'étudiant. Il n'en était pas à sa première expédition dans l'espace : la traversée ne faisait donc guère impression sur lui. Bien sûr, il n'était encore jamais allé plus loin que l'unique satellite de Synnax, où il avait dû se rendre pour recueillir les renseignements sur la mécanique des météores dont il avait besoin pour sa dissertation ; mais, dans l'espace, qu'on parcourût un million de kilomètres ou d'années-lumière, c'était tout comme.

Il ne s'était un peu raidi qu'au moment du saut dans l'hyperespace, un phénomène qu'on n'avait pas l'occasion d'expérimenter au cours des simples déplacements interplanétaires. Le saut demeurait, et demeurerait sans doute toujours, le seul moyen pratique de voyager d'une étoile à l'autre. On ne pouvait se déplacer dans l'espace ordinaire à une vitesse supérieure à celle de la lumière (c'était un de ces principes aussi vieux que l'humanité) ; il aurait donc fallu des années pour passer d'un système habité au système le plus voisin. En empruntant l'hyperespace, ce domaine inimaginable qui n'était ni espace ni temps, ni matière ni énergie, ni réalité ni néant, il était possible de traverser la Galaxie en un instant dans toute sa longueur.

Gaal avait attendu le premier de ces sauts, l'estomac un peu serré ; il n'éprouva, en fin de compte, qu'une infime secousse, un très léger choc qui avait déjà cessé avant même qu'il pût être sûr de l'avoir ressenti. C'était tout.

Et, après cela, il ne reste que l'appareil où Gaal avait pris place, une grande machine étincelante, fruit de douze mille ans de progrès ; et Gaal était là, assis sur son siège, avec dans sa poche un doctorat de mathématiques tout frais et une invitation du grand Hari Seldon à se rendre sur Trantor pour participer aux mystérieux travaux du projet Seldon.

Déçu par le saut, Gaal espérait se consoler en apercevant Trantor. Il rôdait sans cesse dans la salle panoramique. Aux heures annoncées par les haut-parleurs, on relevait les volets d'acier, et Gaal ne manquait pas une occasion de contempler l'éclat dur des étoiles, d'admirer l'incroyable spectacle d'une constellation, semblable à un gigantesque essaim de lucioles pétrifiées dans leur vol. Il vit une fois, à moins de cinq années-lumière de l'appareil, la fumée froide et d'un blanc bleuté d'une nébuleuse, qui s'étalait devant le hublot comme une tache laiteuse pour disparaître deux heures plus tard après un nouveau saut.

Sa première vision du soleil de Trantor fut celle d'un point blanc brillant perdu parmi une myriade d'autres, et il ne le reconnut que parce que le guide le lui désigna. A proximité du centre de la Galaxie, les étoiles formaient un amas compact. Mais, à chaque saut, l'éclat dont brillait le point lumineux allait croissant et éclipsait peu à peu celui des autres astres.

Un membre de l'équipage traversa la salle en annonçant : « La baie panoramique va être fermée pour le reste du voyage. Préparez-vous à débarquer. »

Gaal lui emboîta le pas et le saisit par la manche de son uniforme blanc où brillaient le soleil et l'astronef, emblèmes de l'Empire.

« Est-ce que je ne pourrais pas rester? demanda-t-il. J'aimerais voir Trantor. »

L'homme sourit et Gaal se sentit rougir. Il se rendit compte qu'il avait un accent provincial.

« Nous arriverons à Trantor dans la matinée, dit l'homme.

— Mais j'aimerais voir le paysage.

— Je suis navré, mon garçon. Ce serait possible à bord d'un astronef de plaisance. mais nous descendons maintenant face au soleil. Vous n'avez tout de même pas envie d'être à la fois aveuglé, brûlé et atteint par les radiations, non ? »

Gaal s'éloigna, dépité.

« De toute façon, lui lança lautre. Trantor ne vous apparaîtrait que comme une grande tache grise. Pourquoi ne feriez-vous pas une excursion en astronef quand vous serez sur place ? Ça ne coûte pas cher.

— Merci, je n'y manquerai pas », fit Gaal.

C'était enfantin d'être ainsi désappointé, mais Gaal ny pouvait rien, il en avait la gorge serrée. Il n'avait jamais vu Trantor s'étaler dans toute son inconcevable splendeur, en grandeur nature, et il n'avait pas pensé qu'il lui faudrait attendre encore pour jouir de ce spectacle.

II

L'appareil se posa au milieu d'un mélange de bruits divers : sifflement de l'air ambiant autour de la coque métallique ; ronronnement des dispositifs de climatisation qui combattaient l'échauffement produit par cette friction ; ronflement plus sourd des moteurs en pleine décélération ; brouhaha des passagers qui se rassemblaient dans les salles de débarquement ; grincement des élévateurs entraînant les bagages, le fret et le courrier vers le tapis roulant qui les conduirait jusqu'au quai.

Gaal sentit la légère secousse signifiant que l'astronef venait de s'arrêter. Depuis des heures, la force de gravité de la planète remplaçait lentement la pesanteur artificielle à laquelle était soumis l'appareil. Des milliers de passagers attendaient patiemment dans les salles de débarquement, qui pivotaient sans heurt sur de puissants champs de force, afin de s'aligner sur la nouvelle direction dans laquelle s'exerçait l'attraction. Le moment vint enfin où ils purent descendre les larges rampes qui menaient aux portes béantes.

Gaal n'avait que peu de bagages. Il s'arrêta à un guichet tandis qu'on les examinait rapidement. On vérifia son passeport, on y apposa un visa. Mais il ne prêta que peu d'attention à ces diverses formalités.

Il était sur Trantor ! L'atmosphère semblait un peu plus dense, la pesanteur un peu plus forte ici que sur sa planète natale de Synnax, mais il s'y habituerait. Il se demanda en revanche s'il se ferait jamais à l'immensité de tout ce qui s'offrait à ses yeux.

La gare de débarquement était un édifice titanesque. C'était à peine si l'on distinguait tout en haut le plafond : des nuages auraient pu tenir à l'aise dans ce vaste hall. Et Gaal ne voyait même pas de mur devant lui : rien que des employés, des guichets et des allées, s'étendant à perte de vue.

L'employé du guichet avait l'air agacé. Il répéta : « Avancez, avancez.

— Où... où est-ce que ?... » commença Gaal.

L'homme, d'un geste, lui montra le chemin : « Pour la station de taxis, c'est à droite, et le troisième couloir à gauche. »

Gaal s'éloigna ; dans le vide au-dessus de lui flottaient des lettres de feu : TAXIS POUR TOUTES DIRECTIONS.

Une silhouette se détacha de la foule, s'arrêta devant le guichet que Gaal venait de quitter. L'employé fit à l'intention du nouveau venu un hochement de tête affirmatif. L'inconnu répondit par un petit signe identique et suivit le jeune immigrant.

Il était arrivé à temps pour savoir quelle serait sa destination.

Gaal s'arrêta devant une grille.

Un petit panonceau annonçait « *Surveillant* ». L'homme posté sous le panneau demanda sans même lever les yeux : « Quelle direction ? »

Gaal n'en savait rien, mais quelques secondes d'hésitation

étaient assez pour que se formât derrière lui une longue queue de voyageurs impatients.

« Vous allez où ? » répéta le surveillant.

Gaal n'avait que peu d'argent, mais après tout il ne s'agissait que d'une nuit et, demain, il aurait une situation. Il essaya de prendre un air dégagé :

« Je voudrais trouver un bon hôtel. »

Le surveillant n'eut pas l'air impressionné.

« Ils sont tous bons. Auquel voulez-vous descendre ?

— Au plus proche », murmura Gaal, en désespoir de cause.

Le surveillant pressa un bouton. Une mince ligne de lumière se dessina sur le sol, parmi d'autres de couleurs et d'éclats différents. Gaal reçut un ticket légèrement phosphorescent.

« Un crédit douze », dit le surveillant.

Gaal chercha de la monnaie dans ses poches.

« Où dois-je aller ? demanda-t-il.

— Suivez la ligne lumineuse. Le ticket s'éteindra quand vous vous tromperez de direction. »

Gaal se mit en marche. Des centaines de personnes arpentaient comme lui la vaste salle, chacun suivant son itinéraire qui croisait ou chevauchait parfois celui du voisin.

Gaal parvint à sa destination. Un homme vêtu d'un uniforme bleu et jaune criard, en plasto-textile inattaquable, s'empara de ses deux valises.

« Direct pour le *Luxor* », dit-il.

L'homme qui suivait toujours Gaal l'entendit. Il entendit aussi Gaal dire : « Très bien », et il le vit monter dans le petit appareil au nez camus.

Le taxi s'éleva à la verticale. Gaal regardait par la fenêtre incurvée, en se cramponnant instinctivement à la banquette. La foule sous ses pieds semblait se contracter : on aurait dit maintenant de petits groupes de fourmis disséminés à travers l'immensité du hall.

Puis un mur se dressa devant le taxi. Il commençait à une certaine hauteur au-dessus du sol et sa partie supérieure se perdait dans le lointain. Il était percé d'une multitude de trous qui étaient autant de bouches de tunnels. Le chauffeur se dirigea vers l'une des entrées et s'y engouffra, tandis que Gaal se demandait comment on faisait pour ne pas se tromper de tunnel.

Ils étaient maintenant plongés dans les ténèbres, que trouait de loin en loin la lueur colorée d'un signal. L'air sifflait derrière la vitre.

Gaal se pencha en avant pour lutter contre le freinage, puis le taxi déboucha du tunnel et redescendit au niveau du sol.

« Le *Luxor-Hotel* », annonça le chauffeur. Il déchargea les bagages de Gaal, accepta d'un air condescendant un pourboire d'un dixième de crédit, fit monter un client qui attendait et décolla.

Depuis l'instant où il avait débarqué, Gaal n'avait pas encore aperçu le ciel.

III

TRANTOR : *Au début du treizième millénaire, cette tendance atteignit à son paroxysme. Siège du Gouvernement Impérial depuis des centaines de générations, et située dans la partie centrale de la Galaxie, parmi les mondes les plus peuplés et les plus évolués de tout le système, Trantor ne tarda pas à devenir l'agglomération humaine la plus dense et la plus riche que l'on ait jamais vue.*

L'urbanisation progressive de la planète finit par donner naissance à une ville unique qui couvrait les quelque deux cents millions de kilomètres carrés de la surface de Trantor. La population compta jusqu'à quarante milliards d'habitants, lesquels se consacraient presque tous à l'administration de l'Empire, et encore suffisaient-ils à peine à cette tâche. (On se souvient que l'incapacité des derniers empereurs à assurer l'administration contribua pour une part importante à la chute de l'Empire.) Chaque jour, des astronefs par dizaines de milliers apportaient la production de vingt planètes agricoles pour garnir les tables de Trantor...

La capitale dépendait donc du monde extérieur pour son ravitaillement et pour tous les besoins de son existence, ce qui la mettait sans cesse à la merci d'une guerre de siège. Durant le dernier millénaire de l'Empire, il y eut d'innombrables révoltes qui firent prendre conscience aux empereurs de cet état de choses, et la politique impériale se borna dès lors à protéger ce talon d'Achille que constituait Trantor...

ENCYCLOPEDIA GALACTICA.

Gaal ne savait pas si le soleil brillait ni s'il faisait jour ou nuit. Il avait honte de demander. La planète tout entière semblait vivre sous une carapace de métal. Le repas qu'on venait de lui servir était baptisé déjeuner, mais il savait que plus d'une planète vivait suivant une division du temps standard qui ne tenait pas compte de l'alternance parfois malcommode du jour et de la nuit. La période de gravitation variait suivant les planètes, et il ignorait quelle était celle de Trantor.

Il s'était empressé de suivre les panonceaux menant au solarium, mais il n'avait trouvé là qu'une salle baignée de rayons artificiels. Il s'y attarda quelques instants, puis regagna le hall du *Luxor*.

« Où puis-je prendre un billet pour un tour de la planète ? demanda-t-il à l'employé de la réception.

— Ici même.

— Quand a lieu le prochain départ ?

— Vous venez de le manquer. Il y en aura un autre demain. Prenez votre billet maintenant, nous vous garderons une place. »

Mais demain, ce serait trop tard. Il serait à l'université.

« Il n'existe pas de tour d'observation, de belvédère ? reprit-il. Quelque chose qui soit à l'air libre ?

— Si, bien sûr ! Je peux vous vendre un billet, si vous voulez. Attendez que je vérifie s'il ne pleut pas. » L'employé manœuvra un levier placé près de son coude et attendit que des lettres fluorescentes se dessinent sur un écran de verre dépoli. Gaal déchiffra en même temps que lui le bulletin.

« Beau temps, dit l'employé. Mais, d'ailleurs, je crois bien que c'est la saison sèche. Je vous dirai, ajouta-t il, que je ne sors pour ainsi dire jamais. Cela fait trois ans que je n'ai pas mis le nez dehors. Vous savez, quand on a vu ça une fois... tenez, voilà votre billet. Il y a un ascenseur spécial au fond du hall. Vous verrez la pancarte : « *Pour la Tour.* » Vous n'aurez qu'à le prendre. »

C'était un de ces ascenseurs modernes mus par antigravité. Gaal pénétra dans la cabine et d'autres passagers s'engouffrèrent avec lui. Le liftier manœuvra un bouton. Gaal eut un instant l'impression d'être suspendu dans l'espace quand la gravité tomba à zéro, puis il reprit un peu de poids à mesure que l'appareil accélérait. Le mouvement bientôt se ralentit et Gaal sentit ses pieds quitter le sol. Il ne put réprimer un petit cri.

« Coincez vos pieds sous la rampe. Vous n'avez donc pas lu l'avis ? »

Les autres le regardaient en souriant s'efforcer vainement de redescendre. Ils avaient tous les pieds passés sous les barres chromées qui sillonnaient la surface du plancher, à soixante centimètres les unes des autres. Gaal avait bien remarqué ces barres en entrant, mais il ignorait quel était leur usage.

Une main secourable se tendit enfin vers lui et le ramena au sol.

Il eut à peine le temps de bredouiller des remerciements : l'ascenseur s'arrêta.

Gaal s'avança sur une vaste plate-forme baignée d'une lumière éblouissante qui lui brûla les yeux. L'homme qui, dans l'ascenseur, l'avait aidé à regagner le plancher, se trouvait juste à côté de lui.

« Ce ne sont pas les sièges qui manquent, dit-il d'un ton amène.

— En effet », dit Gaal. Il se dirigea machinalement vers

les bancs puis s'arrêta. « Excusez-moi, dit-il, mais j'aimerais bien m'arrêter d'abord près de la balustrade. Je... je voudrais voir un peu. »

L'homme lui fit un petit salut de la main et s'éloigna, tandis que Gaal se penchait par-dessus le garde-fou qui s'élevait à hauteur d'épaule, pour se repaître du panorama.

Il ne voyait pas le sol qui disparaissait sous le grouillement des constructions. A l'horizon, où que se portât son regard, il n'apercevait que le métal se découpant sur le ciel, et il savait que, sur toute l'étendue de la planète, il aurait trouvé, un paysage identique. Rien ne bougeait, sauf çà et là un astronef de plaisance qui flânait dans le ciel : pourtant, sous la carapace métallique de la planète, s'agitaient des milliards d'hommes.

Il n'y avait pas trace de verdure, ni de terre, pas un signe de vie autre qu'humaine. Quelque part au milieu de cet océan d'acier, se trouvait le palais de l'empereur, avec ses vingt-cinq mille hectares de parterres et de jardins, mais on ne le voyait pas de là. Peut-être était-il à dix ou quinze mille kilomètres ? Gaal n'en savait rien.

Il faudrait tout de même qu'il trouve le temps de faire ce tour de Trantor !

Il poussa un profond soupir en se disant qu'enfin il était sur Trantor, le centre de la Galaxie, le berceau de la race humaine. Il n'avait pas conscience des faiblesses de ce monde titanesque. Il ne voyait pas les convois de ravitaillement arriver les uns après les autres ; il ne se rendait pas compte que seul un fragile cordon reliait ainsi les quarante milliards d'habitants de la planète au reste de la Galaxie. Il admirait seulement la prodigieuse réalisation que constituait cet ensemble, ce point final mis à la conquête de tout un univers.

Un peu étourdi, il revint vers le centre de la plateforme. Son ami de l'ascenseur lui désigna un fauteuil à côté du sien ; Gaal s'y assit.

« Je m'appelle Jerril, fit l'homme, en souriant. C'est votre premier voyage sur Trantor ?

— Oui, monsieur Jerril.

— C'est bien ce que je pensais. La vue de Trantor vous

fait toujours quelque chose, pour peu qu'on ait un tempérament poétique. Les Trantoriens, eux, ne viennent jamais ici. Ils n'aiment pas ça. Le paysage les rend malades.

— Malades !... Oh ! je crois que je ne me suis pas présenté : je m'appelle Gaal. Pourquoi cela les rendrait-il malades ? C'est superbe.

— C'est une question d'opinion, Gaal. Quand on naît dans un alvéole, qu'on grandit dans un couloir, qu'on travaille dans une cellule et qu'on prend ses vacances dans un solarium où les gens se bousculent, on ne risque rien de moins que la dépression nerveuse, le jour où l'on s'aventure à l'air libre sans rien que le ciel au-dessus de sa tête. On fait venir les enfants ici une fois par an à partir de cinq ans ; je ne sais pas si ça leur fait vraiment du bien. Je ne crois pas que ce soit suffisant : les premières fois, ils ont de véritables crises de nerfs. Ils devraient commencer dès le jour où ils sont sevrés et venir toutes les semaines.

« Evidemment, reprit-il, vous me direz que ça n'a guère d'importance. Qu'est-ce que cela peut bien faire s'ils ne sortent jamais ? Ils sont heureux en bas et ils gouvernent l'Empire. Tenez, à quelle hauteur croyez-vous que nous sommes ?

— Huit cents mètres ? » fit Gaal, en se demandant s'il n'avait pas l'air trop naïf.

Jerril se mit à rire.

« Non, dit-il. A peine cent cinquante mètres.

— Comment ? Mais l'ascenseur a mis...

— Je sais. Mais la plus grande partie du trajet a consisté à parvenir jusqu'à la surface. Trantor est construite à quinze cents mètres sous terre : c'est comme un iceberg. La ville descend même à plusieurs kilomètres de profondeur sous le fond de l'océan, au bord des côtes. Nous sommes si bas que la différence de température entre le niveau du sol et les fonds de deux ou trois mille mètres est utilisée pour fournir toute l'énergie dont nous avons besoin. Vous le saviez ?

— Non, je croyais que vous utilisiez des générateurs atomiques.

— Autrefois, oui. Mais ce procédé est plus économique.

— Je veux bien le croire.

— Qu'est-ce que vous pensez de tout ça ? » L'homme soudain avait pris un air inquisiteur, vaguement cauteleux.

« Je trouve ça... superbe, fit Gaal.

— Vous êtes ici en vacances ? En touriste ?

— Pas précisément. C'est-à-dire que j'ai toujours eu envie de visiter Trantor, mais la raison qui m'amène est que j'ai trouvé une situation.

— Ah ? »

Gaal se crut obligé de donner quelques précisions.

« Je vais travailler au projet du docteur Seldon, à l'université de Trantor.

— Cassandre Seldon ?

— Non, celui dont je vous parle s'appelle Hari Seldon... vous savez, le psychohistorien. Je ne connais pas de Cassandre Seldon.

— C'est le même. On l'appelle Cassandre parce qu'il prédit sans cesse le désastre.

— Vraiment ? fit Gaal avec un étonnement sincère.

— Vous devez bien le savoir. » Jerril ne souriait plus. « Vous venez travailler avec lui, n'est-ce pas ?

— Mais oui, je suis mathématicien. Pourquoi prédit-il le désastre ? Et d'abord, quel genre de désastre ?

— Vous n'avez pas d'opinion là-dessus ?

— Pas la moindre, je vous assure. J'ai lu les articles publiés par le docteur Seldon et son groupe de recherches. Il n'y est question que de théorie mathématique.

— Oui, dans ceux qu'ils publient, c'est exact. »

Gaal commençait à se sentir mal à l'aise.

« Je crois que je vais regagner ma chambre maintenant, dit-il. Très heureux de vous avoir rencontré. »

Jerril lui adressa un petit salut de la main.

Dans sa chambre, Gaal trouva un homme qui l'attendait. La surprise l'empêcha d'articuler tout de suite l'inévitable « Que faites-vous ici ? » qu'il avait sur les lèvres.

L'inconnu se leva. Il était assez âgé et presque chauve, et il boitait légèrement, mais il avait le regard vif.

« Je suis Hari Seldon », dit-il, et Gaal reconnut aussitôt ce visage dont il avait tant de fois vu la photographie.

IV

PSYCHOHISTOIRE : *Gaal Dornick a défini la psychohistoire comme la branche des mathématiques qui traite des réactions des ensembles humains en face de phénomènes sociaux et économiques constants...*

... Cette définition sous-entend que l'ensemble humain en question est assez important pour qu'on puisse valablement lui appliquer la méthode statistique. L'importance numérique minimale de cet ensemble peut être déterminée par le Premier Théorème de Seldon qui... Une autre condition nécessaire est que ledit ensemble humain ignore qu'il est soumis à l'analyse psychohistorique, afin que ses réactions n'en soient pas troublées...

Toute psychohistoire valable repose sur les Fonctions de Seldon qui présentent des propriétés analogues à celles de forces économiques et sociales telles que...

ENCYCLOPEDIA GALACTICA.

« Bonjour, monsieur, dit Gaal. Je... je...

— Vous pensiez que nous n'avions rendez-vous que demain ? C'est exact. Il se trouve seulement que, si nous voulons employer vos services, nous devons faire vite. Il devient de plus en plus difficile de recruter du personnel.

— Je ne comprends pas, monsieur.

— Vous parliez avec quelqu'un sur la tour d'observation, n'est-ce pas ?

— Oui. Un nommé Jerril. C'est tout ce que je sais de lui.

— Son nom importe peu. C'est un agent de la Commission de la Sécurité Publique. Il vous a suivi depuis l'aéroport.

— Mais pourquoi ? Je suis désolé, mais je ne vous comprends pas très bien.

— Cet homme ne vous a-t-il rien dit à mon sujet ? »

Gaal hésita un instant.

« Il vous appelait Cassandre Seldon.

— Vous a-t-il dit pourquoi ?

— Il a prétendu que vous prédisiez le désastre

— En effet. Que pensez-vous de Trantor ? »

Décidément tout le monde semblait tenir à connaître son opinion sur Trantor. Gaal ne put que répéter :

« C'est superbe.

— Vous dites cela sans réfléchir. Que faites-vous de la psychohistoire ?

— Je n'ai pas pensé à l'appliquer à ce problème.

— Quand vous aurez travaillé quelque temps avec moi, jeune homme, vous prendrez l'habitude d'appliquer la psychohistoire à tous les problèmes... Regardez. » Seldon tira d'une poche de sa ceinture son bloc à calcul. On disait qu'il en avait toujours un sous son oreiller pour s'en servir en cas d'insomnie. Le bloc avait à l'usage perdu un peu de son brillant. Les doigts de Seldon pressèrent les touches de matière plastique disposées sur les bords de l'appareil. Des symboles mathématiques se détachèrent en rouge sur la surface grise.

« Ceci, dit-il, représente la situation actuelle de l'Empire. »

Il attendit un moment.

« Il ne s'agit sûrement pas d'une représentation complète, fit enfin Gaal.

— Non, pas complète, dit Seldon. Je suis heureux de voir que vous n'acceptez pas aveuglément mes affirmations. Toutefois, c'est une approximation qui suffira aux besoins de ce que je veux découvrir. Vous êtes d'accord ?

— Sous réserve que je vérifie plus tard la dérivation de la

fonction, oui », Gaal prenait bien soin de ne pas se laisser entraîner dans un piège.

« Bon. Ajoutez à cela la probabilité d'un assassinat de l'empereur, d'une révolte du vice-roi, de la récurrence des crises économiques, de la diminution des voyages d'exploration... »

A mesure qu'il parlait, de nouveaux symboles apparaissaient sur le petit tableau pour venir s'adjoindre à la fonction primitive, qui s'étendait et se modifiait sans cesse.

Gaal n'interrompit Seldon qu'une fois : « Je ne vois pas l'intérêt de cette transformation. »

Seldon répéta celle-ci plus lentement.

« Mais, dit Gaal, vous utilisez une socio-opération interdite.

— Parfait. Vous avez l'esprit vif, mais pas tout à fait assez. Elle n'est pas interdite dans ce cas-là. Je vais recommencer en utilisant la méthode d'expansion. »

Ce procédé était beaucoup plus long et, quand Seldon eut terminé le calcul, Gaal reconnut humblement : « Ah ! oui, je comprends maintenant. »

Seldon enfin annonça : « Et voici Trantor dans cinq siècles d'ici. Comment interprétez-vous cela ? Hein ? » La tête penchée de côté, il attendit.

« La destrucion totale ! fit Gaal, incrédule. Mais... mais c'est impossible. Trantor n'a jamais été...

Seldon était vibrant d'excitation ; on sentait que son corps seul avait vieilli. « Mais si, mais si. Vous avez vu comment on parvenait à ce résultat. Exprimez cela en mots. Oubliez un instant les symboles.

— A mesure que Trantor devient plus spécialisée, dit Gaal, elle devient plus vulnérable, moins apte à se défendre. Or, à mesure que s'y développe l'administration centrale de l'Empire, la planète devient une proie plus enviable. D'autre part, étant donné les difficultés croissantes que soulève le problème de la succession impériale, les querelles toujours plus violentes qui opposent les unes aux autres les grandes familles, le sentiment de la responsabilité envers la société va s'affaiblissant.

— C'est assez. Et quelles sont les probabilités numériques de destruction totale d'ici cinq siècles ?

— Je ne saurais vous le dire.

— Voyons, vous savez tout de même faire une différentiation de champ ? »

Gaal se sentit pris de court. Seldon ne lui proposa pas son bloc à calcul ; il dut donc faire ses opérations de tête. La sueur se mit à couler de son front.

« Environ 85 pour cent ? dit-il enfin.

— Pas mal, dit Seldon, pas mal, mais ce n'est pas tout à fait cela. Le chiffre exact est 92,5 pour cent.

— Voilà donc, dit Gaal, pourquoi on vous appelle Cassandre Seldon. Comment se fait-il que ne n'aie jamais rien vu de tout cela dans les journaux ?

— On ne peut pas publier des choses pareilles, voyons. Vous ne pensez tout de même pas que l'Empire irait révéler ainsi sa faiblesse. C'est une démonstration de psychohistoire élémentaire. Mais certains des résultats de nos calculs sont venus aux oreilles de l'aristocratie.

— C'est ennuyeux.

— Pas forcément. Nous en tenons compte.

— Voilà donc pourquoi on me questionne ?

— Exactement. On cherche à se renseigner sur tout ce qui touche à mon projet.

— Etes-vous en danger, monsieur ?

— Bien sûr. Les probabilités en faveur de mon exécution sont de 1,7 pour cent, mais ce n'est naturellement pas cela qui nous arrêtera. Nous en avons également tenu compte. Nous vous verrons, je suppose, demain à l'université.

— C'est entendu », fit Gaal.

V

COMMISSION DE SÉCURITÉ PUBLIQUE : *La coterie aristocratique parvint au pouvoir après l'assassinat de Cléon Ier, dernier des Entuns. Elle constitua en fait un facteur d'ordre durant les siècles d'instabilité et d'incertitude que connut l'Empire. Soumise le plus souvent à l'autorité de grandes familles comme celles de Chen et des Divart, elle devait bientôt ne plus être qu'un aveugle instrument aux mains des conservateurs... Les aristocrates ne cessèrent de jouer un rôle important dans la politique de l'Etat qu'à la suite de l'avènement du dernier empereur ayant quelque autorité, Cléon II. Le premier commissaire à la Sécurité Publique...*

Dans une certaine mesure, on peut faire remonter le déclin de la Commission au procès de Hari Seldon, qui eut lieu deux ans avant le commencement de l'ère de la Fondation. Ce procès est décrit dans la biographie de Hari Seldon, due à Gaal Dornick...

ENCYCLOPEDIA GALACTICA.

Gaal ne put tenir sa promesse. Le lendemain matin, il fut tiré de son sommeil par une sonnerie étouffée. Il répondit et la voix de l'employé de la réception, aussi méprisante et sèchement polie qu'elle pouvait l'être, lui annonça qu'il était en état d'arrestation sur ordre de la Commission de la Sécurité Publique.

Gaal se leva d'un bond, courut jusqu'à la porte et constata qu'elle ne s'ouvrait pas. Il ne lui restait plus qu'à s'habiller et attendre.

On vint le chercher pour l'emmener ailleurs, mais il n'était toujours pas libre. On l'interrogea avec beaucoup de courtoisie. Tout cela était extrêmement civilisé. Il expliqua qu'il venait de la planète Synnax ; qu'il avait suivi les cours de tel et tel collège et avait passé son doctorat de mathématiques à telle date. Il dit qu'il avait demandé à être employé au projet du docteur Seldon, et que sa candidature avai été acceptée. Il répéta inlassablement ces détails ; et, invariablement, on en revenait à ce projet Seldon. Comment en avait-il entendu parler, quelles devaient être ses fonctions, quelles instructions secrètes avait-il reçues, de quoi s'agissait-il en fait ?

Il répondit qu'il n'en savait rien. Il n'avait reçu aucune

instruction secrète Il était un savant et un mathématicien. Il ne s'intéressait pas à la politique.

Pour finir, l'homme qui l'interrogeait demanda doucement :

« Quand Trantor sera-t-elle détruite ?

— Je ne saurais vous le dire, bredouilla Gaal.

— Quelqu'un d'autre pourrait-il le dire ?

— Comment pourrais-je affirmer une chose pareille pour quelqu'un d'autre ? » Il sentait la sueur perler à son front.

« Quelqu'un vous a-t-il parlé de cette destruction ? demanda l'interrogateur. Vous a-t-on cité une date ? » Et comme le jeune homme hésitait, l'autre reprit : « Vous avez été suivi, docteur. Nous étions à l'astroport quand vous êtes arrivé ; nous avions quelqu'un sur la tour d'observation ; et, bien entendu, nous avons pu surprendre votre conversation avec le docteur Seldon.

— Dans ce cas, dit Gaal, vous connaissez son opinion sur cette question.

— C'est possible. Mais nous aimerions vous entendre la répéter.

— Il pense que Trantor risque d'être anéantie d'ici cinq siècles.

— Il l'a prouvé... mathématiquement ?

— Oui, répliqua Gaal d'un ton de défi.

— Vous estimez, je suppose, que ces... calculs sont valables ?

— Ils sont certainement valables s'ils sont l'œuvre du docteur Seldon.

— Eh bien, nous nous reverrons.

— Attendez. J'ai le droit d'avoir un avocat. J'exige qu'on respecte mes droits de citoyen de l'Empire.

— Ils seront respectés. »

Ils le furent.

Un homme de grande taille entra ; dans son visage long et mince, il n'y avait pas place, semblait-il, pour un sourire.

Gaal leva les yeux. Il se sentait abattu, perdu. Tant d'événements s'étaient succédés depuis trente heures à peine qu'il était sur Trantor.

« Je m'appelle Lors Avakim, dit l'homme. Le docteur Seldon m'a chargé de prendre en main vos intérêts.

— Ah ? Eh bien, écoutez-moi. Je demande qu'on fasse aussitôt appel devant l'empereur. Je suis détenu sans raison. Je suis innocent, vous entendez, *innocent.* » Il se tordait les mains de nervosité. « Il faut que vous obteniez une audience de l'empereur, le plus vite possible. »

Avakim vidait soigneusement sur le sol le contenu d'un porte-documents. Gall, s'il avait été plus lucide, aurait pu reconnaître le mince ruban métallique d'un Cellomet, fait pour prendre place dans une capsule personnelle, ainsi que l'enregistreur de poche.

Nullement ému par la sortie de Gaal, Avakim leva les yeux vers son client. « La Commission a sûrement fait brancher un écouteur électronique ici pour surprendre notre conversation. C'est illégal, mais ils le font toujours. »

Gaal serra les dents sans répondre.

« Mais, reprit Avakim en s'asseyant, l'enregistreur que j'ai apporté — un appareil d'aspect tout à fait innocent — a ia propriété de brouiller les ondes de tout écouteur indiscret. Et c'est une chose dont ils ne s'apercevront pas tout de suite.

— Alors, je peux parler ?

— Naturellement.

— Eh bien, je veux avoir une audience de l'empereur. »

Avakim eut un petit sourire glacé ; il y avait quand même place sur son étroit visage pour cela : un recroquevillement des joues.

« Vous êtes de province ? dit-il.

— Je n'en suis pas moins citoyen de l'Empire. Aussi bon citoyen que vous ou que n'importe quel membre de cette Commission de la Sécurité Publique.

— Bien sûr, bien sûr. Seulement, comme vous vivez en

province, vous ne vous rendez pas bien compte de ce qui se passe sur Trantor. L'empereur n'accorde pas d'audiences.

— Mais devant qui peut-on faire appel ? Il n'existe pas d'autre procédure ?

— Non. En fait, il n'y a pas de recours. Légalement, vous avez le droit d'en appeler à l'empereur, mais vous n'obtiendrez pas d'audience. L'empereur actuel n'est pas de la dynastie des Entuns, vous savez. En réalité, Trantor est, hélas ! aux mains de quelques familles de l'aristocratie dont les membres forment la Commission de Sécurité Publique. C'est là une évolution qu'a parfaitement prévue la psychohistoire.

— Ah oui ? fit Gaal. Mais alors, si le docteur Seldon peut prévoir l'histoire de Trantor dans les cinq cents ans à venir...

— Il peut la prévoir aussi bien pour quinze cents ans.

— Quinze mille si vous voulez. Mais pourquoi n'a-t-il pas pu hier prédire ce qui allait se passer aujourd'hui et m'avertir ? » Gaal s'assit et se prit la tête à deux mains. « Je vous demande pardon... Bien sûr, la psychohistoire est une science statistique, incapable de prédire avec exactitude l'avenir d'un seul individu. Je ne sais plus ce que je dis.

— Mais si. Le docteur Seldon estimait que vous seriez arrêté ce matin.

— Comment ?

— C'est la triste vérité. La Commission se montre de plus en plus hostile à ses travaux. Elle exerce une suveillance sans cesse accrue sur les nouveaux membres qui viennent se joindre au groupe de recherches. Les graphiques montraient que nous avions intérêt à faire éclater l'affaire tout de suite. La Commission agissait avec une telle lenteur que le docteur Seldon vous a rendu visite hier afin de lui forcer la main. C'était la seule raison.

— Ça alors... commença Gaal.

— Je vous en prie. C'était nécessaire. On ne vous a pas choisi, vous, pour des motifs personnels. Vous comprenez bien que les plans du docteur Seldon, qui sont le fruit de près de dix-huit ans de calculs, ne laissent de côté aucune des probabilités. Votre arrestation n'est que l'une d'entre elles. Ma visite n'a d'autre raison que de vous rassurer :

vous n'avez rien à craindre, tout finira bien. C'est une quasi-certitude en ce qui concerne le projet : et une assez forte probabilité en ce qui vous concerne personnellement.

— Quels sont les chiffres ? interrogea Gaal.

— Pour le projet, un peu plus de 99,9 pour cent.

— Et pour moi ?

— Il paraît que la probabilité est de 77,2 pour cent.

— J'ai donc un peu plus d'une chance sur cinq d'être jeté en prison ou exécuté.

— Les probabilités d'exécution n'atteignent même pas un pour cent.

— Allons donc, mais les calculs effectués sur un seul individu ne veulent rien dire. Envoyez-moi donc le docteur Seldon.

— C'est malheureusement impossible. Le docteur Seldon, lui aussi, a été arrêté. »

La porte s'ouvrit avant que Gaal eût pu pousser le cri qui montait à ses lèvres. Un gardien entra, s'approcha de la table, s'empara de l'enregistreur qu'il examina sous tous les angles, puis le fourra dans sa poche.

« J'aurai besoin de cet instrument, fit Avakim sans se départir de son calme.

— Nous vous en fournirons un autre, maître, qui n'émet pas de parasites.

— Dans ce cas, ma visite est terminée. »

Il sortit et Gall se retrouva seul.

VI

Le procès n'avait pas duré longtemps. (Du moins Gaal supposait-il qu'il s'agissait bien d'un procès, encore qu'on n'y retrouvât aucune des procédures compliquées employées d'ordinaire.) Et, malgré cela, Gaal avait du mal à se souvenir du début.

On ne l'avait guère inquiété. C'était sur le docteur Seldon

que s'était concentré le feu de la grosse artillerie. Mais Hari Seldon demeurait impassible. Gaal voyait en lui le seul point stable d'un monde qui se dérobait sous ses pas.

L'assistance était peu nombreuse et ne comprenait que les barons de l'Empire. Ni le grand public, ni la presse n'avaient été admis et peu de gens, à l'extérieur, devaient même savoir que Seldon était cité en justice. Quant aux assistants, ils ne dissimulaient pas leur hostilité

Cinq membres de la Commission de la Sécurité Publique étaient assis sur l'estrade. Ils arboraient l'uniforme pourpre et or de leur fonction. Au centre, siégeait le chef de la Commission, Linge Chen. Gaal n'avait encore jamais vu de si haut personnage et le dévorait des yeux. Ce fut à peine si Chen dit un mot tout au long du procès ; il semblait penser que parler était indigne de lui.

Le Procureur consulta ses notes et procéda à l'interrogatoire de Seldon :

LE PROCUREUR. — Voyons, docteur Seldon, combien d'hommes travaillent actuellement au projet que vous dirigez ?

SELDON. — Cinquante mathématiicens.

P. — Dont le docteur Gaal Dornick ?

S. — Le docteur Gaal Dornick est le cinquante et unième.

P. — Oh! ils sont donc cinquante et un! Un petit effort de mémoire, docteur Seldon. Peut-être sont-ils cinquante-deux, ou cinquante-trois. Peut-être plus ?

S. — Le docteur Dornick n'appartient pas encore officiellement à mon organisation. Quand il aura pris son poste, les effectifs s'élèveront au chiffre de cinquante et un. Pour l'instant, ils sont de cinquante, comme je vous l'ai dit.

P. — Ils ne seraient pas plutôt voisins de cent mille ?

S. — Cent mille mathématiciens ? Non.

P. — Je n'ai pas parlé de cent mille mathématiciens. Votre groupe occupe-t-il cent mille hommes en tout ?

S. — En comptant l'ensemble du personnel, il se peut que votre estimation soit correcte.

P. — Il se peut ? Je l'affirme : je prétends que votre projet occupe quatre-vingt-dix-huit mille cinq cent soixante-douze personnes.

S. — Vous devez compter les femmes et les enfants.

P. — Je maintiens le chiffre de quatre-vingt-dix-huit mille cinq cent soixante-douze individus. N'ergotons pas.

S. — J'accepte ce chiffre.

P. — Nous reviendrons plus tard sur ce point. J'aimerais maintenant reprendre une question que nous avons déjà traitée tout à l'heure. Voudriez-vous nous répéter, docteur Seldon, ce que vous pensez de l'avenir de Trantor ?

S. — J'ai dit, et je répète, que, dans cinq siècles d'ici, Trantor sera en ruine.

P. — Vous ne considérez pas cette déclaration comme déloyale ?

S. — Non, monsieur le Procureur. La vérité scientifique dépasse les concepts de loyalisme et de trahison.

P. — Vous êtes certain que votre déclaration représente la vérité scientifique ?

S. — Absolument.

P. — Sur quoi vous appuyez-vous ?

S. — Sur les mathématiques de la psychohistoire.

P. — Pouvez-vous prouver que ces calculs soient valables ?

S. — Seul un autre mathématicien pourrait comprendre ma démonstration.

P. — Vous prétendez donc. n'est-ce pas, que votre vérité est d'un caractère si ésotérique qu'elle dépasse l'entendement du simple citoyen. Il me semble que la vérité devrait être plus claire, moins mystérieuse, plus accessible à l'esprit.

S. — Ces difficultés n'existent que pour certains. La physique du transfert d'énergie, ce que nous appelons la thermodynamique, est depuis le fond des âges un phénomène parfaitement défini : il peut cependant se trouver aujourd'hui, dans l'assistance, des gens qui seraient incapables de dessiner l'épure d'un moteur. Des gens très intelligents, d'ailleurs. Je doute que les membres de cette honorable Commission...

A ce moment. un des commissaires se pencha vers le Procureur. On n'entendit pas ce qu'il disait mais il parlait d'un ton sec et sifflant. Le Procureur rougit et interrompit Seldon.

P. — Nous ne sommes pas ici pour écouter des discours, docteur Seldon. Admettons que vous nous ayez convaincus. Permettez-moi de vous dire que vos prédictions de désastre pourraient fort bien avoir pour but de saper la confiance du public envers le gouvernement impérial, à des fins connues de vous seul.

S. — Il n'en est rien.

P. — Laissez-moi vous rappeler que, selon vous, la période précédant la prétendue ruine de Trantor doit être marquée par une certaine agitation.

S. — C'est exact.

P. — J'affirme, moi, qu'en prédisant ce désastre, vous espérez le provoquer et avoir alors à votre disposition une armée de cent mille hommes.

S. — Absolument pas. Et même si cela était, une rapide enquête vous montrerait que, dans le personnel qui est sous mes ordres, il n'y a pas dix mille hommes d'âge à porter les armes ; aucun d'eux du reste n'a la moindre formation militaire.

P. — Etes-vous l'agent de quelqu'un d'autre ?

S. — Je ne suis à la solde de personne, monsieur le Procureur.

P. — Vous êtes entièrement désintéressé ? Vous êtes au service de la science ?

S. — Oui.

P. — Eh bien, voyons un peu comment. Peut-on modifier l'avenir, docteur Seldon ?

S. — Bien entendu. Ce tribunal, par exemple, peut exploser dans quelques heures, ou bien ne pas exploser. Dans le premier cas, l'avenir en serait certainement modifié, dans une faible mesure.

P. — Vous ergotez encore, docteur Seldon. L'histoire de la race humaine peut-elle être modifiée dans son ensemble ?

S. — Oui.
P. — Facilement ?
S. — Non, au prix de grands efforts.
P. — Pourquoi ?
S. — La tendance psychohistorique de la population d'une planète entière dépend partiellement d'une force d'inertie considérable. Pour la modifier, il faut soit disposer d'un nombre d'individus égal au chiffre de la population, soit, si l'on ne peut compter que sur un nombre relativement faible d'individus, avoir beaucoup de temps devant soi. Vous comprenez ?
P. — Je crois que oui. Trantor ne court pas nécessairement à la catastrophe, pourvu qu'il se trouve assez de gens pour empêcher ce désastre.
S. — C'est exact.
P. — Et cent mille individus suffisent-ils ?
S. — Non, monsieur le Procureur. C'est bien trop peu.
P. — Vous en êtes sûr ?
S. — Songez que Trantor a une population de plus de quarante milliards d'habitants. Considérez en outre que la tendance qui mène à la catastrophe n'affecte pas Trantor seule, mais l'ensemble de l'Empire, c'est-à-dire près d'un quintillion d'êtres humains.
P. — Je vois où vous voulez en venir : peut-être alors cent mille individus suffisent-ils à modifier la tendance catastrophique, si eux et leurs descendants s'y efforcent durant cinq cents ans.
S. — Hélas, non. Cinq cents ans représentent un délai trop bref.
P. — Ah ! Dans ce cas, docteur Seldon, il nous reste à tirer nous-mêmes les conclusions de vos propros. Vous avez réuni cent mille personnes dans le cadre de votre projet. Ce n'est pas assez pour modifier en cinq cents ans le cours du destin de Trantor. Autrement dit, ces cent mille individus, quoi qu'ils fassent, ne peuvent empêcher la destruction de Trantor.
S. — Vous avez malheureusement raison.
P. — D'autre part, vos cent mille employés n'ont pas été rassemblés pour des fins illégales.
S. — Exact.

P. — Alors, docteur Seldon, écoutez-moi bien, car la Commission veut sur ce point une réponse dûment considérée. Pourquoi ces cent mille individus ?

Le Procureur avait haussé le ton. Il avait tendu son piège ; il avait acculé Seldon ; il l'avait contraint à répondre.

Un frémissement parcourut l'assistance, gagna les commissaires, dont seul le chef demeurait impassible.

Hari Seldon ne broncha pas. Il attendit que le brouhaha se fût apaisé.

S. — Pour minimiser les effets de cette destruction.

P. — Qu'entendez-vous exactement par-là ?

S. — C'est bien simple. L'anéantissement imminent de Trantor n'est pas un événement isolé. Ce sera l'aboutissement d'un drame très complexe qui s'est noué voilà des siècles et qui approche chaque jour davantage de sa conclusion. Je veux parler, messieurs, du déclin et de la chute de l'Empire Galactique.

Ce fut un beau tohu-bohu. Le Procureur, dressé sur ses ergots, commença : « Vous déclarez ouvertement que... » et s'arrêta, car les cris de « Trahison ! » qui montaient de l'assistance montraient assez que tout le monde avait compris sans qu'il fût besoin d'insister.

Le chef de la Commission leva lentement son marteau et le laissa retomber Le bruit retentit comme un coup de gong. Quand les derniers échos en furent éteints, le silence se fit dans la salle. Le Procureur prit une grande inspiration.

P. — Vous rendez-vous compte, docteur Seldon, que vous parlez d'un Empire qui existe depuis douze mille ans, qui a victorieusement subit le passage des générations et qui a derrière lui la confiance et le dévouement d'un quintillion d'êtres humains ?

S. — Je suis parfaitement conscient aussi bien du passé

que de la situation présente de l'Empire. Sans vouloir blesser personne, je prétends connaître mieux la question que n'importe lequel d'entre vous.

P. — Et vous prédisez sa ruine ?

S. — C'est une prédiction qui se fonde sur les mathématiques. Je ne porte pas de jugement moral. Je regrette, pour ma part, cette éventualité. Même si l'on critique l'Empire (ce que je ne fais pas), l'état d'anarchie qui suivrait sa chute serait pire encore. Mais la chute d'un empire, messieurs, est un événement de poids et qu'il n'est pas facile d'éviter. Elle est due au développement de la bureaucratie, à la disparition de l'esprit d'initiative, au durcissement du régime des castes... à cent autres causes. Le phénomène s'amorce, comme je vous l'ai dit, depuis des centaines d'années et c'est un mouvement d'une ampleur trop considérable pour qu'on puisse le freiner.

P. — N'est-il pas évident aux yeux de tous que l'Empire n'a jamais été aussi fort ?

S. — Cette force n'est qu'apparente. On pourrait croire que l'Empire est éternel. Et pourtant, monsieur le Procureur, jusqu'au jour où la tempête le fend en deux, le tronc d'arbre pourri a toutes les apparences de la santé. L'ouragan souffle dès maintenant à travers les branches de l'Empire. Ecoutez avec les oreilles de la psychohistoire, et vous percevrez les premiers craquements.

P. — Nous ne sommes pas ici, docteur Seldon, pour écouter...

S. — L'Empire va disparaître et tous ses biens avec lui. Les connaissances qu'il a amassées vont se disperser, en même temps que va s'effondrer l'ordre qu'il a imposé. Les conflits interstellaires vont éclater qui n'auront pas de fin ; le commerce va cesser entre les divers systèmes ; la population va décroître ; les mondes vont perdre le contact avec le centre de la Galaxie... voilà ce qui va se passer.

P., *d'une voix faible et dans un silence total.* — Et combien de temps cela durera-t-il ?

S. — La psychohistoire, qui peut prédire la chute de l'Empire, peut également prévoir ce que seront les âges de barbarie qui suivront. L'Empire, messieurs, on vient de nous le rappeler, compte douze mille ans d'existence. La période de ténèbres qui va lui succéder ne durera pas douze, mais *trente* mille ans. Après cela, un second Empire naîtra, mais entre la fin de notre civilisation et ce moment, un millier de générations auront été sacrifiées. C'est cela qu'il faut s'efforcer d'éviter.

P. — Vous vous contredisez. Vous avez dit tout à l'heure que vous pouviez empêcher la destruction de Trantor, et, par conséquent, pas davantage la chute, la *prétendue* chute de l'Empire.

S. — Je ne dis pas que nous puissions empêcher cette chute. Mais il n'est pas encore trop tard pour raccourcir la durée de l'interrègne qui la suivra. Il est possible, messieurs, de réduire à un seul millénaire cette période d'anarchie, si l'on laisse désormais toute liberté d'action à mon groupe. Nous sommes à un moment délicat de l'histoire. Il faut éviter l'énorme masse des événements en marche, la dévier un tout petit peu. Ce ne sera pas grand-chose, mais cela suffira à épargner vingt-neuf mille ans de misère à l'humanité.

P. — Comment vous proposez-vous d'y parvenir ?

S. — En sauvegardant les connaissances de l'espèce. La somme des connaissances humaines dépasse les capacités d'un individu, de mille individus. En même temps que se brisera le cadre de notre société, la science s'éparpillera en innombrables fragments. Chaque individu ne connaîtra qu'une infime parcelle de ce qu'il faut savoir. Et les gens livrés à eux-mêmes seront impuissants. Ils se transmettront des bribes de science qui se perdront de génération en génération. *Mais,* si nous préparons maintenant un gigantesque sommaire de toutes les connaissances, rien ne sera perdu. Les générations à venir partiront de là, et n'auront pas à tout redécouvrir elles-mêmes. Un millénaire suffira là où il aurait fallu trente mille ans.

P. — Tout cela...

S. — Voilà mon projet : mes trente mille hommes, avec leurs femmes et leurs enfants, se consacrent à la préparation d'une *Encyclopedia Galactica.* Ils ne l'achèveront pas de leur vivant. C'est à peine si j'en verrai le début. Mais l'œuvre sera terminée quand Trantor tombera, et toutes les principales bibliothèques de la Galaxie en posséderont un exemplaire.

Le marteau du chef de la Commission s'éleva et s'abattit sur le bureau. Hari Seldon quitta la barre et revint s'asseoir auprès de Gaal.

« Mon numéro vous a plu ? dit-il en souriant.

— C'était magnifique, dit Gaal. Mais que va t-il se passer maintenant ?

— Ils vont ajourner la suite des débats et s'efforcer de parvenir à un accord avec moi.

— Comment le savez-vous ?

— A parler franchement, dit Seldon, je n'en suis pas certain. Tout dépend du chef de la Commission. Je l'étudie depuis des années. J'ai tenté d'analyser le mécanisme de son intellect, mais vous savez comme c'est risqué de vouloir introduire les variables d'un individu dans les équations psychohistoriques. Toutefois, j'ai bon espoir. »

VII

Avakim s'approcha, salua Gaal d'un petit signe de tête et se pencha pour murmurer quelque chose à l'oreille de Seldon. On annonça que l'audience était ajournée, et les gardes emmenèrent Gaal et Seldon.

Le lendemain, le procès reprit dans un climat très différent : Hari Seldon et Gaal Dornick étaient seul avec la Commission. Ils étaient tous assis à une grande table et c'était à peine si l'on avait marqué une séparation entre les cinq juges et les deux accusés. Ceux-ci se virent même offrir des cigares d'une boîte en matière plastique iridescente qui semblait faite d'eau ruisselante ; bien que, sous les doigts, la boîte fût rigide et sèche, on avait l'impression de plonger la main sous une cascade.

Seldon accepta un cigare ; Gaal refusa.

« Mon avocat n'est pas présent, fit observer Seldon.

— Il ne s'agit plus de procès, docteur Seldon, dit un des

commissaires. Nous sommes ici pour discuter de la sauvegarde de l'Etat.

— Je vais parler », dit Linge Chen, et les autres commissaires se carrèrent dans leur fauteuil. Un grand silence se fit dans la salle.

Gaal retint son souffle. Chen, avec un visage dur et émacié qui lui donnait l'air plus vieux qu'il n'était en réalité, était le véritable empereur de toute la Galaxie. L'enfant qui portait ce titre n'était qu'un symbole créé par Chen.

« Docteur Seldon, commença Chen, vous troublez la paix du domaine impérial. Pas un seul du quintillion d'êtres humains qui vivent aujourd'hui parmi les systèmes de la Galaxie n'existera encore dans cent ans. Pourquoi nous occuper alors de ce qui se passera dans cinq siècles d'ici ?

— Je serai sans doute mort dans cinq ans d'ici, dit Seldon, et pourtant ce problème me hante. Appelez cela de l'idéalisme. Dites, si vous voulez, que je m'identifie à ce concept mystique que l'on désigne sous le nom d'« homme ».

— Je n'entends pas me donner le mal de comprendre le mysticisme, dit Chen. Mais pouvez-vous me dire pourquoi je ne peux pas me débarrasser de vous et de la déplaisante et inutile perspective d'un lointain avenir que je ne verrai jamais, en vous faisant tout simplement exécuter ce soir ?

— Il y a une semaine, dit Seldon. vous auriez pu le faire, et maintenir aussi à une sur dix vos chances de vivre jusqu'à la fin de l'année. Aujourd'hui, cette probabilité n'est plus que d'une sur dix mille. »

Un frisson parcourut l'assistance et Gaal sentit ses cheveux se hérisser sur sa nuque. Chen baissa légèrement les paupières.

« Comment cela ? dit-il.

— Rien, dit Seldon, ne peut plus empêcher la chute de Trantor. Mais celle-ci peut être hâtée. La nouvelle de mon procès interrompu va se répandre à travers toute la Galaxie. L'échec de mon projet qui se proposait d'atténuer les effets du désastre convaincra les gens que l'avenir n'a rien à leur apporter. Ils songent déjà avec envie à la vie que menaient leurs grands-parents. Ils vont estimer que seul compte ce dont chacun peut profiter dans l'instant présent. Les ambitieux ne voudront plus attendre, et pas davantage les gens sans scrupules. Et cela suffira à précipiter la décadence. Faites-moi exécuter ; et ce ne sera pas dans cinq siècles, mais dans cinquante ans, que Trantor tombera, et vous-même ne tiendrez pas un an.

— Ce sont là des mots bons à faire peur aux enfants ; mais votre mort n'est pas la seule solution qui puisse nous satisfaire. »

Il souleva légèrement la main, ne laissant reposer que deux doigts effilés sur la pile de papiers disposée devant lui.

« Dites-moi, reprit-il, n'aurez-vous pour seule activité que de préparer cette encyclopédie dont vous parlez ?

— Parfaitement.

— Et faut-il absolument que ce travail se fasse sur Trantor ?

— C'est sur Trantor, monsieur le Commissaire, que se trouve la Bibliothèque Impériale, ainsi que l'Université.

— Et si vous vous installiez ailleurs ; par exemple, sur une planète où la vie agitée et les distractions d'une métropole ne viendraient pas troubler vos travaux ; où vos hommes pourraient se consacrer entièrement à leur tâche... cela n'aurait-il pas certains avantages ?

— De légers avantages, peut-être.

— Eh bien, nous avons choisi pour vous un monde où vous pourrez travailler tout à loisir, docteur, avec vos cent mille collaborateurs. La Galaxie saura que vous consacrez tous vos efforts à combattre la décadence. On annoncera même que vous empêcherez la chute. » Il ajouta en souriant : « Comme je ne crois pas à grand-chose, je n'aurai aucun mal à ne pas croire à la chute et à être convaincu de dire la vérité au peuple. Et vous, docteur, vous ne causerez sur Trantor aucune perturbation, et rien ne viendra troubler la paix de l'empereur.

« Sinon, c'est la mort pour vous et pour autant de vos collaborateurs qu'il le faudra. Je ne veux pas tenir compte des menaces que vous avez formulées tout à l'heure. Vous avez cinq minutes pour choisir entre la mort et l'exil.

— Quel est le monde que vous avez choisi, monsieur le Commissaire ? demanda Seldon.

— Une planète appelée, je crois, Terminus », dit Chen. Il feuilleta négligemment les papiers étalés sur son bureau. « Elle est inhabitée, mais tout à fait habitable et elle peut être aménagée de façon à répondre aux besoins de savants. C'est une planète assez isolée...

— Elle est située à la frange de la Galaxie, monsieur, interrompit Seldon.

— Assez isolée, comme je vous le disais. Rien ne saurait mieux convenir à des gens qui ont à travailler dans le calme. Allons, vous avez encore deux minutes.

— Il nous faudra du temps, dit Seldon, pour organiser un pareil voyage. Il y aura vingt mille familles à transporter.

— On vous donnera le délai nécessaire. »

Seldon médita quelques instants et la dernière minute touchait à sa fin, quand il annonça : « J'accepte l'exil. »

Gaal sentit son cœur battre plus fort. Il était ravi — qui ne le serait pas ? — d'avoir échappé à la mort. Mais, malgré son soulagement, il ne pouvait s'empêcher de regretter un peu que Seldon eût été vaincu.

VIII

Ils restèrent longtemps silencieux dans le taxi qui les emmenait au long des centaines de kilomètres de tunnels conduisant à l'université. Ce fut Gaal qui rompit le silence :

« Ce que vous avez dit à la Commission était-il vrai ? Votre exécution aurait-elle précipité la chute ?

— Je ne mens jamais quand il s'agit de calculs psychohistoriques. Cela ne m'aurait d'ailleurs avancé à rien en l'occurrence. Chen savait que je disais la vérité. C'est un politicien très habile, et les politiciens sont d'ordinaire sensibles aux vérités de la psychohistoire.

— En ce cas, étiez-vous forcé d'accepter l'exil ? » interrogea Gaal, mais Seldon ne répondit pas.

Quand ils arrivèrent à destination, Gaal avait presque oublié qu'il pouvait exister un soleil. Les bâtiments de l'université, eux non plus, n'étaient pas à l'air libre : ils se dressaient sous le couvert d'un dôme monstrueux fait d'une matière semblable à du verre. Ce dôme formait un écran polarisant qui diffusait sur le métal de l'édifice une lumière vive mais non aveuglante.

Les bâtiments eux-mêmes n'avaient pas l'éclat dur et gris des autres constructions de Trantor. Les parois étaient d'une couleur argentée à laquelle la patine donnait des reflets d'ivoire.

« Tiens, fit Seldon, on dirait des soldats.

— Comment ? » dit Gaal ; il baissa les yeux et vit une sentinelle qui bloquait le passage.

Au même moment, un officier déboucha d'une petite porte.

« Docteur Seldon ? dit-il.

— Oui.

— Nous vous attendions. Vous et votre personnel tombez désormais sous le coup de la loi martiale. J'ai mission de vous annoncer que vous avez six mois pour mettre au point vos préparatifs de départ pour Terminus.

— Six mois ! » s'exclama Gaal, mais Seldon lui serra doucement le bras.

« Ce sont mes consignes », répéta le capitaine.

Il disparut et Gaal se tourna vers Seldon : « Mais voyons, que pouvons-nous faire en six mois ? C'est un meurtre à longue échéance, tout simplement.

— Du calme. Du calme. Passons dans mon bureau. »

Le bureau n'était pas grand, mais il était rigoureusement à l'abri de toute table d'écoute. Les dispositifs, en effet, au lieu de percevoir un silence suspect ou un brouillage plus suspect encore, enregistraient une conversation parfaitement innocente entre plusieurs interlocuteurs.

« Six mois nous suffiront, dit Seldon en s'asseyant.

— Je ne vois pas comment.

— Parce que, mon garçon, dans un projet comme le nôtre, les actions des autres se plient en fait à nos besoins. Ne vous ai-je pas déjà dit que le caractère de Chen avait été soumis à une analyse extrêmement fouillée ? Nous n'avons laissé le procès s'ouvrir qu'au moment qui convenait à notre propos.

— Mais avez-vous pu choisir aussi...

— ... d'être exilé sur Terminus ? Pourquoi pas ? » Son index pressa un coin de la table et une petite section de la paroi derrière lui s'écarta, révélant une série de casiers. Seul Seldon pouvait manœuvrer ce mécanisme, car le dispositif n'était sensible qu'à ses empreintes digitales.

« Vous trouverez dans ce classeur divers microfilms, dit-il. Prenez celui marqué de la lettre T. »

Gaal obéit et attendit que Seldon eût fixé la bobine dans le projecteur ; puis il ajusta les viseurs que lui tendait son hôte et regarda le film qui se déroulait devant ses yeux.

« Mais alors... commença-t-il.

— Qu'est-ce qui vous étonne ? demanda Seldon.

— Cela faisait deux ans que vous prépariez ce départ ?

— Deux ans et demi. Nous n'étions pas certains, évidemment, que le choix de Chen se porterait sur Terminus, mais nous l'espérions, et nous avons travaillé à partir de cette hypothèse.

— Mais pourquoi, docteur Seldon ? Pourquoi avez-vous voulu cet exil ? Ne serait-il pas plus facile de contrôler les événements de Trantor même ?

— Nous avions plusieurs raisons. En travaillant sur Terminus, nous bénéficierons de l'appui impérial sans que l'Empire puisse craindre que nous menacions sa sécurité.

— Mais alors, dit Gaal, vous n'avez éveillé ces craintes que pour contraindre la Commission à vous exiler. Je ne comprends toujours pas.

— Peut-être vingt mille familles ne seraient-elles pas allées de leur plein gré s'installer aux confins de la Galaxie.

— Mais pourquoi les obliger à partir si loin ? » Gaal

attendit un instant une réponse, puis reprit : « Je n'ai peut-être pas le droit de savoir.

— Pas encore, dit Seldon. Il suffit pour le moment que vous sachiez qu'une colonie scientifique va être établie sur Terminus. Et qu'une autre ira s'installer à l'extrémité opposée de la Galaxie, disons par exemple, ajouta-t-il en souriant, à Star's End, là où finissent les étoiles. Pour le reste, je vais mourir bientôt, et vous en verrez plus que moi... Non, non, faites-moi la grâce de ne pas être bouleversé ni de manifester votre compassion. Mes docteurs me disent que je n'en ai plus que pour un an ou deux. Mais j'aurai alors fait tout ce que j'ai voulu faire, et peut-on souhaiter sort plus enviable ?

— Et après votre mort, monsieur ?

— Eh bien, j'aurai des successeurs... vous, peut-être. Et ces successeurs sauront mener à bien le projet et déclencher au moment voulu et dans les circonstances voulues la révolte sur Anacréon. Après cela, il suffira de laisser les événements suivre leur cours.

— Je ne comprends pas.

— Vous comprendrez un jour. » Seldon avait l'air à la fois las et satisfait. « La plupart des chercheurs partiront pour Terminus, mais certains d'entre eux resteront. Ce sont là des questions faciles à régler. Quant à moi, conclut-il dans un souffle à peine perceptible, mon rôle est fini. »

DEUXIEME PARTIE

LES ENCYCLOPEDISTES

I

TERMINUS : *C'était un monde étrangement situé (voir la carte) pour le rôle qu'il fut appelé à jouer dans l'histoire galactique et pourtant, comme n'ont pas manqué de le faire remarquer nombre d'écrivains, il ne pouvait être situé ailleurs. Aux confins de la spirale galactique, planète unique d'un soleil simple, sans grandes ressources et sans possibilités économiques, Terminus ne fut colonisée que cinq siècles après sa découverte, quand les Encyclopédistes vinrent s'y installer...*

Il était inévitable que l'avènement d'une nouvelle génération fît de Terminus plus que le domaine réservé des psychohistoriens de Trantor. Avec la révolte anacréonienne et l'arrivée au pouvoir de Salvor Hardin, le premier de la grande dynastie des...

ENCYCLOPEDIA GALACTICA.

Lewis Pirenne était assis à sa table, installée dans un coin de son bureau. Il fallait coordonner les travaux, organiser les efforts, donner une unité à leur entreprise.

Cinquante ans s'étaient écoulés ; cinquante ans pendant lesquels ils s'étaient installés et avaient fait de la Fondation encyclopédique n° 1 un organisme qui fonctionnait sans heurt. En cinquante ans, ils avaient amassé les matériaux, ils s'étaient préparés.

Cette partie-là du travail était terminée. Dans cinq ans, serait publié le premier volume de l'œuvre la plus monumentale que la Galaxie eût jamais conçue. Puis, à l'intervalle de dix ans, avec la régularité d'un mouvement d'horlogerie, suivraient volume après volume. Chacun d'eux comprendrait des suppléments, des articles sur les événements d'intérêt courant ; jusquau jour où...

Pirenne tressaillit en entendant le bourdonnement de la sonnerie sur son bureau. Il avait presque oublié le rendez-vous. Il pressa le bouton commandant le déclenchement de la porte et, du coin de l'œil, vit le battant s'ouvrir pour livrer passage à Salvor Hardin. Pirenne ne leva pas la tête.

Hardin réprima un sourire. Il était pressé, mais il savait que mieux valait ne pas se formaliser de la façon cavalière dont Pirenne traitait tout ce qui venait le déranger dans son travail. Il se carra dans le profond fauteuil réservé aux visiteurs et attendit.

Le stylet de Pirenne continuait à gratter la surface du papier ; à part cela, tout était immobile et silencieux. Hardin prit dans la poche de sa veste une pièce de deux crédits. Il la lança en l'air, et la surface polie d'acier inoxydable retomba en projetant mille reflets. Il la rattrapa et la lança de nouveau, tout en observant négligemment la trajectoire du petit disque. L'acier inoxydable constituait une excellente monnaie d'échange sur une planète où tous les métaux devaient être importés.

Pirenne leva les yeux en clignotant. « Arrêtez ! dit-il, agacé.

— Quoi donc ?

— De jouer à pile ou face comme vous faites.

— Oh ! » Hardin remit la pièce dans sa poche. « Prévenez-moi quand vous serez prêt, voulez-vous ? J'ai promis d'être de retour à la réunion du Conseil Municipal avant qu'on mette aux voix ce projet concernant le nouvel aqueduc. »

Pirenne soupira, puis repoussa son fauteuil en arrière.

« Je suis prêt. Mais j'espère que vous n'allez pas m'importuner avec les affaires municipales. Réglez cela vous-même, je vous en prie. L'Encyclopédie me prend tout mon temps.

— Vous connaissez la nouvelle ? interrogea Hardin sans se démonter.

— Quelle nouvelle ?

— La nouvelle que la station d'ultra-radio de Terminus vient de capter, voici deux heures ? Le gouverneur royal de la préfecture d'Anacréon a pris titre de roi.

— Comment ? Qu'est-ce que cela signifie ?

— Cela signifie, répondit Hardin, que nous sommes coupés des régions centrales de l'Empire. Nous nous y attendions, mais ce n'est pas plus agréable pour cela. Anacréon est juste sur la dernière route commerciale qui nous restait en direction de Santanni, de Trantor et même de Véga ! Par où va-t-on nous faire parvenir nos métaux ? Depuis six mois, nous n'avons pas eu une seule cargaison d'aluminium, et maintenant, par la grâce du roi d'Anacréon, nous n'en recevons plus du tout.

— Tss, tss, fit Pirenne. Tâchez d'en obtenir de lui, alors.

— Vous croyez que c'est facile ? Ecoutez, Pirenne, aux termes de la charte qui régit cette Fondation, le Conseil de l'Encyclopédie a reçu pleins pouvoirs en matière d'administration. Moi, en ma qualité de Maire de Terminus, j'ai tout juste le droit de me moucher, et peut-être d'éternuer si vous contresignez une autorisation écrite dans ce sens. C'est donc à vous et à votre Conseil de prendre les mesures nécessaires. Je vous demande au nom de la ville, dont la postérité dépend de la possibilité d'entretenir avec la Galaxie des relations commerciales ininterrompues, de convoquer une réunion extraordinaire...

— Assez ! Ce n'est pas le moment de prononcer un discours électoral. Voyons, Hardin, le Conseil d'Administration n'a jamais empêché l'établissement sur Terminus d'un gouvernement municipal. Nous comprenons que c'est là une institution nécessaire, étant donné l'accroissement de la population, depuis l'établissement de la Fondation il y a cinquante ans, et étant donné aussi le nombre croissant de gens dont les occupations sont étrangères à l'Encyclopédie elle-même. Cela ne veut toutefois pas dire que le premier et le seul but de la Fondation ne soit plus de publier l'Encyclopédie définitive des connaissanes humaines. Nous sommes un organisme scientifique patronné par l'Etat, Hardin. Nous ne pouvons pas — nous ne devons, et d'ailleurs nous ne voulons pas — nous mêler des questions de politique locale.

— De politique locale ! Par l'orteil gauche de l'empereur, Pirenne, il s'agit d'une question de vie ou de mort. La planète Terminus ne peut à elle seule subvenir aux besoins d'une civilisation mécanisée. Elle manque de métaux. Vous le savez. Il n'y a pas la moindre trace de fer, de cuivre ni de bauxite dans les couches rocheuses superficielles, et il n'y a guère d'autres minerais. Que croyez-vous qu'il advienne de l'Encyclopédie si ce jean-foutre de roi d'Anacréon nous tombe dessus ?

— Sur nous ? Oubliez-vous que nous sommes sous le contrôle direct de l'empereur lui-même ? Nous ne dépendons pas de la préfecture d'Anacréon ni d'aucune autre. Tâchez de vous en souvenir ! Nous appartenons au domaine personnel de l'empereur et personne n'a le droit de nous toucher. L'empereur est assez puissant pour protéger ses biens.

— Alors, pourquoi n'a-t-il pas empêché le gouverneur royal d'Anacréon de se révolter ? Et il n'y a pas qu'Anacréon. Au moins vingt des préfectures les plus excentriques de la Galaxie — en fait toute la Périphérie — ont commencé à se montrer fort indépendantes. Je vous assure que je suis de plus en plus sceptique en ce qui concerne la protection que l'Empire peut nous accorder.

— Bah ! Gouverneurs royaux, rois... où est la différence ? L'empereur est perpétuellement soumis à une certaine agitation politique, les uns tirant à hue et les autres à dia. Ce n'est pas la première fois que les gouverneurs se rebellent et, je vous le rappelle, on a déjà vu des empereurs être déposés ou assassinés. Mais qu'est-ce que cela a à voir avec l'Empire ? Allons, Hardin, n'y pensez plus.

Cela ne nous regarde pas. Nous sommes d'abord et avant

tout des savants. Et ce qui nous occupe, c'est l'Encyclopédie. Oh ! c'est vrai, j'allais oublier. Hardin !

— Oui ?

— Il faut que vous fassiez attention à ce que vous publiez dans votre journal ! fit Pirenne d'un ton furieux.

— Le *Journal* de Terminus ? Il n'est pas à moi : c'est un organe privé. Que lui voulez-vous ?

— Il demande depuis des semaines que le cinquantième anniversaire de l'établissement de la Fondation soit l'occasion de fêtes publiques et de cérémonies tout à fait injustifiées.

— Et pourquoi pas ? Dans trois mois, l'horloge à radium ouvrira le caveau. Il me semble que c'est la meilleure des occasions de se livrer à des réjouissances, non ?

— Pas de la ridicule façon dont ils l'entendent, Hardin. L'ouverture du premier caveau ne regarde que le Conseil d'Administration. Aucune communication importante ne sera faite au peuple. C'est un point d'acquis et que je vous prierai de préciser dans le *Journal*.

— Je regrette, Pirenne, mais la charte de Terminus garantit ce qu'il est convenu d'appeler la liberté de la presse.

— La charte peut-être. Mais pas le Conseil d'Administration. Je suis le représentant de l'empereur sur Terminus, Hardin, et j'ai pleins pouvoirs. »

Hardin parut méditer un moment, puis il dit d'un ton sarcastique : « J'ai une nouvelle à vous annoncer en votre qualité de représentant de l'empereur.

— A propos d'Anacréon ? » fit Pirenne. Il était ennuyé.

« Oui. Un envoyé extraordinaire d'Anacréon va venir vous rendre visite. Dans deux semaines.

— Un envoyé extraordinaire ? D'Anacréon ? répéta Pirenne. Pourquoi ? »

Hardin se leva et repoussa son fauteuil dans la direction de la table. « Je vous laisse le plaisir de deviner. »

Sur quoi il sortit.

II

Anselme Haut Rodric — « Haut » signifiant qu'il était de sang noble — sous-préfet de Pluema et envoyé extraordinaire de Son Altesse le souverain d'Anacréon, fut accueilli par Salvor Hardin à l'astroport, avec tout l'imposant appareil d'une réception officielle.

Le sous-préfet s'était incliné en présentant à Hardin le fulgurateur qu'il venait de tirer de son étui, la crosse en avant, Hardin lui rendit la pareille avec une arme empruntée spécialement pour la circonstance. Ainsi se trouvaient établies de part et d'autre la bonne volonté et les intentions pacifiques de chacun, et si Hardin remarqua une légère bosse sous la tunique de Haut Rodric à la hauteur de l'épaule, il s'abstint de tout commentaire.

Ils prirent place dans une voiture automobile précédée, flanquée et suivie d'un appréciable cortège de fonctionnaires subalternes, et qui se dirigea avec une noble lenteur vers la place de l'Encyclopédie, parmi les vivats d'une foule enthousiaste à souhait.

Le sous-préfet Anselme accueillit ces acclamations avec la complaisante indifférence d'un gentilhomme et d'un soldat.

« Cette ville, dit-il à Hardin, est la seule partie habitée de votre monde ? »

Hardin éleva la voix pour se faire entendre par-dessus le vacarme. « Nous sommes un monde jeune, Votre Excellence. Dans notre brève histoire, nous n'avons encore eu que bien rarement la visite des membres de la grande noblesse sur notre pauvre planète. C'est ce qui explique l'enthousiasme populaire. »

Mais le représentant de la « grande noblesse » était de toute évidence imperméable à l'ironie.

« Vous n'êtes établis ici que depuis cinquante ans, fit-il d'un ton songeur. Hmmm ! Vous avez bien des terres en friche, monsieur le Maire. Vous n'avez jamais envisagé de les morceler en domaines ?

— La nécessité ne s'en est pas encore imposée. Nous sommes extrêmement centralisés ; il faut bien, à cause de l'Encyclopédie. Un jour, peut-être, quand la population se sera développée... »

— Quel monde étrange ! Vous n'avez pas de classe paysanne ? »

Il n'était pas besoin d'être grand clerc, se dit Hardin, pour deviner que Son Excellence essayait avec une charmante maladresse de lui tirer les vers du nez. « Non, répondit-il négligemment, et pas de noblesse non plus. »

Haut Rodric haussa les sourcils. « Et votre chef... le personnage que je dois rencontrer ?

— Vous voulez parler du docteur Pirenne ? Il est président du Conseil d'Administration... Et représentant direct de l'empereur.

— *Docteur ?* Comment, il n'a pas d'autres titres ? Un simple savant ? Et il a le pas sur les autorités civiles ?

— Mais bien sûr, fit Hardin d'un ton suave. Nous sommes tous plus ou moins des savants ici. Au fond, nous ne sommes pas tant un monde organisé qu'une fondation scientifique... sous le contrôle direct de l'empereur. »

Il avait quelque peu insisté sur cette dernière phrase, ce qui parut déconcerter le préfet. Celui-ci observa un silence songeur durant le reste du trajet jusqu'à la place de l'Encyclopédie.

Si pour Hardin, l'après-midi et la soirée avaient été mortellement ennuyeux, du moins avait-il la satisfaction de constater que Pirenne et Haut Rodric — malgré toutes les protestations mutuelles d'estime et de sympathie — se détestaient cordialement.

Haut Rodric avait suivi d'un œil glacé la conférence de Pirenne durant la « visite d'inspection » du building de l'Encyclopédie. Il avait écouté d'un air poli et absent ses explications tandis qu'ils traversaient les immenses cinémathèques et les nombreuses salles de projection.

Quand ils eurent visité tous les services d'édition, d'imprimerie et d'enregistrement, le noble visiteur se livra à ce seul commentaire :

« Tout cela, dit-il, est très intéressant, mais c'est une étrange occupation pour des adultes. A quoi cela sert-il ? »

Pirenne, ainsi que l'observa Hardin, fut incapable de rien trouver à répondre, bien que l'expression de son visage fût assez éloquente.

Au cours du dîner qui suivit, Haut Rodric monopolisa la conversation en décrivant — avec force détails techniques — ses exploits de chef de bataillon, durant le récent conflit qui avait opposé Anacréon et le royaume voisin nouvellement proclamé de Smyrno.

Le récit de ces hauts faits occupa tout le dîner, et au dessert, les fonctionnaires subalternes s'étaient éclipsés l'un après l'autre. Le vaillant guerrier acheva de brosser un tableau triomphal d'astronefs en déroute sur le balcon où il avait suivi Pirenne et Hardin, pour profiter de la tiédeur de ce beau soir d'été.

« Et maintenant, dit-il avec une lourde jovialité, passons aux affaires sérieuses.

— Pourquoi pas ? » murmura Hardin en allumant un long cigare de Véga. Il n'en restait plus beaucoup, se dit-il.

La Galaxie brillait três haut dans le ciel et allongeait son immense ovale d'un horizon à l'autre. Les rares étoiles qui se trouvaient en ces confins de l'univers faisaient auprès d'elle figure de lumignons.

« Bien entendu, commença le sous-préfet, toutes les formalités, signatures de documents et autres paperasseries se feront devant le... comment appelez-vous déjà votre Conseil ?

— Le Conseil d'Administration, répondit Pirenne.

— Drôle de nom ! Enfin, nous ferons ça demain. Pour ce soir, nous pourrions commencer à débrouiller un peu la question d'homme à homme. Qu'en dites-vous ?

— Ce qui signifie ?... fit Hardin.

— Simplement ceci. La situation s'est quelque peu modifiée dans la Périphérie et le statut de votre planète est devenu assez confus. Il y aurait intérêt à ce que nous parvenions à nous entendre sur ce point. Dites-moi monsieur le Maire, avez-vous encore un de ces cigares ? »

Hardin sursauta et, à contrecœur, lui en offrit un.

Anselme Haut Rodric le huma et émit un petit gloussement de plaisir. « Du tabac de Véga ! Où vous êtes-vous procuré ça ? »

— C'est la dernière cargaison que nous ayons reçue. Il n'en reste plus guère. L'Espace seul sait quand nous en aurons d'autre... »

Pirenne lui lança un regard de mépris. Il ne fumait pas ; bien mieux, il détestait l'odeur du tabac. « Voyons, dit-il, si je vous comprends bien, Excellence, le but de votre mission est principalement de clarifier les choses ? »

Haut Rodric acquiesça derrière la fumée de son cigare.

« Dans ce cas, reprit Pirenne, ce sera vite fait. La situation en ce qui concerne la Fondation n° 1 n'a pas changé.

— Ah ! Et quelle est-elle ?

— Celle d'une institution scientifique subventionnée par l'Etat et faisant partie du domaine privé de son Auguste Majesté, l'Empereur. »

Le sous-préfet ne semblait nullement impressionné. Il envoyait des ronds de fumée au plafond. « C'est une très jolie théorie, docteur Pirenne. J'imagine que vous avez des chartes marquées du sceau impérial. Mais quelle est en fait votre situation ? Quelles sont vos relations avec Smyrno ? Vous n'êtes pas à cinquante parsecs de la capitale de Smyrno, vous savez. Et avec Konom, et avec Daribow ?

— Nous n'avons jamais affaire à aucune préfecture, dit Pirenne. Comme nous relevons directement de l'empereur...

— Ce ne sont pas des préfectures, lui rappela Haut Rodric ; ce sont des royaumes maintenant.

— Des royaumes, si vous voulez. Nous n'avons jamais affaire à aucun royaume. Nous sommes une institution scientifique...

— Au diable la science ! s'écria l'autre, avec une mâle vigueur. Ça ne change rien au fait que d'un jour à l'autre Terminus risque de tomber sous la coupe de Smyrno.

— Et l'empereur ? Vous croyez qu'il n'interviendrait pas ? »

Haut Rodric reprit d'un ton plus calme : « Voyons, docteur Pirenne, vous respectez ce qui est la propriété de l'empereur. Anacréon fait de même, mais peut-être pas Smyrno. N'oubliez pas que nous venons de signer un traité avec l'empereur — j'en présenterai un exemplaire demain devant votre Conseil — aux termes duquel nous avons la charge de maintenir en son nom l'ordre aux frontières de l'ancienne préfecture d'Anacréon. Notre devoir est donc clair, n'est-ce pas ?

— Certes. Mais Terminus ne fait pas partie de la préfecture d'Anacréon.

— Et Smyrno...

— Pas plus que de la préfecture de Smyrno. Terminus n'appartient à aucune préfecture.

— Smyrno le sait-elle ?

— Peu importe ce que sait Smyrno.

— A vous peut-être, mais, à nous, cela importe fort. -Nous venons de terminer une guerre avec elle et elle continue à tenir deux systèmes stellaires qui nous appartiennent. Terminus occupe entre les deux nations une position stratégique. »

Hardin intervint : « Que proposez-vous, Excellence ? »

Le sous-préfet semblait décidé à ne pas tourner plus longtemps autour du pot : « Il me semble parfaitement évident, dit-il d'un ton dégagé, que, puisque Terminus est incapable de se défendre tout seul, c'est Anacréon qui doit s'en charger. Vous comprenez bien que nous ne désirons nullement intervenir dans votre politique intérieure.

— Heu, heu, fit Hardin.

— ... Mais nous estimons qu'il vaudrait mieux, dans l'intérêt de tous, qu'Anacréon établisse sur votre planète une base militaire.

— C'est tout ce que vous voulez : une base militaire dans une des régions habitées de la planète ?

— Il y aurait bien sûr, le problème de l'entretien des forces de protection. »

Hardin qui se balançait sur deux pieds de son fauteuil, s'immobilisa, les coudes sur les genoux : « Nous y voilà. Parlons net. Terminus doit devenir un protectorat et payer un tribut.

— Pas un tribut. Des impôts. Nous vous protégeons. Vous payez cette protection. »

Pirenne abattit son poing sur le bras de son siège. « Laissez-moi parler, Hardin. Excellence, je me fiche éperdument d'Anacréon, de Smyrno, et de toute votre cuisine politique et de vos petites guerres. Je vous répète que Terminus est une institution d'Etat exempte d'impôts.

— D'Etat ! Mais c'est *nous* l'Etat, docteur Pirenne, et nous ne vous exemptons pas d'impôs. »

Pirenne se leva brusquement. « Excellence, je suis le représentant direct de...

— ... son Auguste Majesté l'Empereur, continua Auselme Haut Rodric, et moi, je suis le représentant direct du roi d'Anacréon. Anacréon est beaucoup plus près, docteur Pirenne.

— Ne nous égarons pas, fit Hardin. Comment percevriez-vous ces soi-disant impôts, Excellence ? En nature : blé, pommes de terre, légumes, bétail ? »

Le sous-préfet le considéra d'un œil stupéfait. « Comment cela ? A quoi nous serviraient ces marchandises ? Nous en avons à revendre. Non, en or, naturellement. Du chrome ou du vanadium seraient même préférables, si vous en aviez en quantités suffisantes. »

Hardin éclata de rire. « En quantités suffisantes ! Nous n'avons même pas assez de fer. De l'or ! Tenez, regardez notre monnaie ! » fit-il en lançant une pièce à l'envoyé extraordinaire.

Haut Rodric la fit sonner et leva vers Hardin un regard surpris. « Qu'est-ce que c'est ? De l'acier ?

— Parfaitement.

— Je ne comprends pas.

— Terminus est une planète qui n'a pratiquement pas de ressources en minerais. Nous n'avons donc pas d'or et rien pour vous payer, à moins que vous n'acceptiez quelques milliers de boisseaux de pommes de terre.

— Alors... des produits manufacturés.

— Sans métal ? Avec quoi fabriquerions-nous nos machines ? »

Il y eut un silence, puis Pirenne reprit : « Toute cette discussion est inutile. Terminus n'est pas une planète comme les autres, mais une fondation scientifique occupée à préparer une grande encyclopédie. Par l'Espace, mon cher, vous n'avez donc aucun respect pour la science ?

— Ce ne sont pas les encyclopédies qui gagnent les guerres, riposta sèchement Haut Rodric. Terminus est donc un monde rigoureusement improductif... et pour ainsi dire inhabité en plus de cela. Eh bien, vous pourriez payer en terre.

— Que voulez-vous dire ? demanda Pirenne.

— Cette planète est à peu près inoccupée et les terres en friche sont sans doute fertiles. De nombreuses familles nobles d'Anacréon aimeraient agrandir leurs domaines.

— Vous ne proposez tout de même pas...

— Il est inutile de vous affoler docteur Pirenne. Il y en a assez pour tout le monde. Si nous parvenons à nous entendre et si vous vous montrez compréhensifs, nous pourrons sans doute nous arranger de façon que vous ne perdiez rien. On pourrait donner des titres et distribuer des terres. Je pense que vous me comprenez...

— Vous êtes trop bon », fit Pirenne sarcastique.

Hardin, alors, interrogea d'un ton naïf : « Anacréon pourrait aussi nous fournir des quantités suffisantes de plutonium pour notre usine atomique ? Nous n'avons plus que quelques années de réserves. »

Pirenne eut un haut-le-corps et, pendant quelques minutes, le silence régna dans la pièce. Quand Haut Rodric reprit la parole, ce fut sur un tout autre ton :

« Vous possédez l'énergie atomique ?

— Evidemment. Qu'y a-t-il d'extraordinaire à cela ? Cela doit faire près de cinquante mille ans qu'on utilise l'énergie atomique. Pourquoi ne nous en servirions-nous pas ? Bien sûr, nous avons un peu de mal à nous procurer du plutonium.

— Bien sûr, bien sûr. » L'envoyé marqua un temps, puis ajouta d'un ton embarrassé : « Eh bien, messieurs, nous pourrions remettre à demain la suite de cette discussion ? Si vous voulez bien m'excuser... »

Pirenne le regarda partir et marmonna entre ses dents : « L'odieux petit imbécile ! Le !...

— Pas du tout, fit Hardin. Il est simplement le produit

de son milieu. Il ne comprend qu'un principe : j'ai un canon et pas vous. »

Pirenne se tourna vers lui, exaspéré : « Quelle idée vous a pris de parler de bases militaires et de tribut ? Etes-vous fou ?

— Mais non. J'ai voulu lui tendre la perche pour le faire parler. Vous remarquerez qu'il a fini par nous révéler les véritables intentions d'Anacréon, à savoir le morcellement de Terminus en terres domaniales. Vous pensez bien que je n'entends pas les laisser faire.

— *Vous* n'entendez pas les laisser faire. *Vous !* Et qui êtes-vous donc ? Et pouvez-vous me dire pourquoi vous avez éprouvé le besoin de parler de notre centrale atomique ? C'est justement le genre de choses qui ferait de Terminus un parfait objectif militaire.

— Oui, fit Hardin en souriant, un objectif à éviter soigneusement. Vous n'avez donc pas compris pourquoi jai amené le sujet sur le tapis ? Je voulais confirmer ce que j'avais déjà toute raison de soupçonner.

— A savoir ?

— Qu'Anacréon ne se servait plus de l'énergie atomique. Sinon, notre ami aurait su que l'on n'utilisait plus de plutonium dans les centrales. Il s'ensuit que le reste de la Périphérie ne possède pas davantage d'industrie atomique. Smyrno n'en a certainement pas, puisqu'elle a été battue récemment par Anacréon. Intéressant, vous ne trouvez pas ?

— Peuh ! » Pirenne quitta la pièce, de fort méchante humeur.

Hardin jeta son cigare et leva les yeux vers l'étendue de la Galaxie. « Alors on est revenu au pétrole et au charbon ? » murmura-t-il... mais il garda pour lui la suite de ses méditations.

III

Quand Hardin niait être propriétaire du *Journal,* peut-être avait-il raison en théorie, mais c'était tout. Hardin avait été un des promoteurs du mouvement demandant la constitution de Terminus en municipalité autonome — il en avait été le premier Maire ; aussi, sans qu'aucune des actions du *Journal* fût à son nom, contrôlait-il quelque soixante pour cent des parts, d'une façon ou d'une autre.

Il y avait toujours moyen de prendre des dispositions.

Ce ne fut donc pas simple coïncidence si, au moment où Hardin demanda à Pirenne de l'autoriser à assister aux réunions du Conseil d'Administration, le *Journal* commença une campagne dans ce sens. A la suite de quoi se tint le premier meeting politique dans l'histoire de la Fondation, meeting au cours duquel fut réclamée la présence d'un représentant de la ville au sein du gouvernement « national ».

Pirenne finit par s'incliner, de mauvaise grâce.

Hardin, assis au bout de la table, se demandait pourquoi les savants faisaient de si piètres administrateurs. Peut-être était-ce parce qu'ils avaient trop l'habitude des faits inflexibles et pas assez des gens aisément influençables.

A sa gauche, siégeaient Tomas Sutt et Jord Fara ; à sa droite, Lundin Crast et Yate Fulham ; Pirenne présidait.

Hardin écouta dans un demi-sommeil les formalités préliminaires, mais son attention se ranima quand Pirenne, après avoir bu une gorgée d'eau, déclara :

« Je suis heureux de pouvoir annoncer au Conseil que depuis notre dernière réunion, j'ai été avisé que le seigneur Dorwin, chancelier de l'Empire, arrivera sur Terminus dans quinze jours. On peut être sûr que nos relations avec Anacréon seront réglées à notre entière satisfaction, dès que l'empereur sera informé de la situation. »

Il sourit et, s'adressant à Hardin, il ajouta : « Nous avons donné communication de cette nouvelle au *Journal*.

Hardin rit sous cape. De toute évidence, c'était pour le plaisir de lui annoncer l'arrivée du chancelier que Pirenne l'avait admis dans le saint des saints.

« Pour parler net, dit-il d'un ton paisible, qu'attendez-vous de Dorwin ? »

Ce fut Tomas Sutt qui répondit. Il avait la déplaisante habitude de parler aux gens à la troisième personne quand il se sentait d'humeur noble.

« Il est bien évident, observa-t-il, que le Maire Hardin est un cynique invétéré. Il ne peut manquer de savoir que l'empereur ne laisserait personne empiéter sur ses droits.

— Pourquoi ? Que ferait-il donc ? »

Il y eut un mouvement de gêne dans l'assistance. « Vous tenez là, fit Pirenne, des propos qui frisent la trahison.

— Dois-je considérer qu'on m'a répondu ?

— Oui ! Si vous n'avez rien d'autre à dire...

— Pas si vite. J'aimerais poser encore une question. Hormis ce coup de maître diplomatique — qui peut ou non rimer à quelque chose — a-t-on pris des mesures concrètes pour faire face à la menace anacréonique ?

Yate Fulham passa une main sur sa terrible moustache rousse.

« Vous voyez là une menace, vous ?

— Pas vous ?

— Ma foi, non... L'empereur... » commença l'autre d'un ton suffisant.

— Par l'espace ! Hardin s'énervait. « Qu'est-ce que cela signifie ? A chaque instant, l'un de vous dit « l'empereur » ou « l'Empire » comme si c'était un mot magique. L'empereur est à cinquante mille parsecs d'ici et je suis bien sûr qu'il se fiche pas mal de nous. Et même si ce n'est pas le cas, que peut-il faire ? Les unités de la flotte impériale qui se trouvaient dans ces régions sont maintenant aux mains des quatre royaumes et Anacréon en a eu sa part. C'est avec des canons qu'il faut se battre, pas avec des mots.

« Maintenant, écoutez-moi. Nous avons eu deux mois de répit, parce qu'Anacréon s'est imaginé que nous possédions des armes atomiques. Or, nous savons tous que c'est une pure invention. Nous avons bien une centrale atomique, mais nous n'utilisons l'énergie nucléaire qu'à des fins industrielles, et encore dans une bien modeste mesure. Ils ne vont pas tarder à s'en apercevoir, et si vous croyez qu'ils vont être contents d'avoir été bernés, vous vous trompez.

— Mon cher ami...

— Attendez : je n'ai pas fini. C'est très bien de faire intervenir des chanceliers dans cette histoire, mais nous aurions plutôt besoin de gros canons de siège, armés de beaux obus atomiques. Nous avons perdu deux mois, messieurs, et nous n'en avons peut-être pas deux autres à perdre. Que proposez-vous de faire ? »

Lundin Crast, fronçant son long nez d'un air mécontent, déclara : « Si vous proposez la militarisation de la Fondation, je ne veux pas en entendre parler. Ce serait nous jeter dans la politique. Nous sommes une communauté scientifique, monsieur le Maire, et rien d'autre.

— Il ne se rend pas compte, ajouta Sutt, que la fabrication d'armements priverait l'Encyclopédie d'un personnel précieux. Il ne saurait en être question, quoi qu'il arrive.

— Parfaitement, renchérit Pirenne. L'Encyclopédie d'abord... toujours. »

Hardin eut un grognement agacé. L'Encyclopédie semblait leur avoir obnubilé l'esprit à tous.

« Ce Conseil a-t-il jamais pensé que Terminus pouvait avoir d'autres intérêts que l'Encyclopédie ?

— Je ne conçois pas, Hardin, dit Pirenne, que la Fondation puisse s'intéresser à autre chose qu'à l'Encyclopédie.

— Je n'ai pas dit la Fondation ; j'ai dit : *Terminus*. Je crains que vous ne compreniez pas bien la situation. Nous sommes environ un million sur Terminus et l'Encyclopédie n'emploie pas plus de cent cinquante mille personnes. Pour le reste d'entre nous, Terminus est notre patrie. Nous sommes nés ici. Nous y vivons. Auprès de nos fermes, de nos maisons et de nos usines, l'Encyclopédie ne compte guère. Nous voulons protéger tout cela... »

Crast l'interrompit violemment : « L'Encyclopédie d'abord, tonna-t-il. Nous avons une mission à remplir.

— Au diable votre mission, cria Hardin. C'était peut-être vrai il y a cinquante ans. Mais une nouvelle génération est venue depuis lors.

— Cela n'a rien à voir, répliqua Pirenne. Nous sommes des savants. »

Hardin sauta sur l'occasion. « Ah ! vous croyez cela ? Mais c'est une idée que vous vous faites ! Vous n'êtes, tous autant que vous êtes, qu'un parfait exemple de ce qui ronge la Galaxie depuis des millénaires. Quelle est cette science qui consiste à passer des centaines d'années à classer les travaux des savants du premier millénaire ? Avez-vous jamais songé à aller de l'avant, à étendre vos connaissances ? Non ! Vous vous contentez de stagner. Et c'est le cas de l'ensemble de la Galaxie, l'Espace sait depuis combien de temps. C'est pour cela que la Périphérie se révolte ; que les communications sont interrompues ; que sans cesse ont cours de petites guerres ; et enfin que des systèmes entiers perdent le secret de l'énergie nucléaire et reviennent à des applications de la chimie la plus élémentaire. Voulez-vous que je vous dise : *la Galaxie s'en va à la dérive !* »

Il se tut et se laissa retomber dans son fauteuil pour reprendre haleine, sans écouter les deux ou trois membres du Conseil qui s'efforçaient à la fois de lui répondre.

Crast finit par l'emporter. « Je ne sais pas où vous voulez en venir avec vos harangues enflammées, monsieur le Maire, mais vous n'apportez à la discussion aucun élément constructif. Je propose, monsieur le Président, que les remarques de Hardin soient considérées comme nulles et non avenues et que nous reprenions le débat où nous l'avions laissé. »

Jord Fara s'agita sur son siège. Jusque-là, Fara s'était tu. Mais maintenant sa voix puissante, aussi puissante que ses cent cinquante kilos, retentit comme une sirène de brume.

« N'avons-nous pas oublié quelque chose, messieurs ?

— Quoi donc ? interrogea Pirenne.

— Que, dans un mois, nous célébrons le cinquantième anniversaire de la Fondation. » Fara avait l'art d'énoncer avec la plus extrême gravité les pires platitudes.

« Et alors ?

— A l'occasion de cet anniversaire, continua paisiblement Fara, on procédera à l'ouverture du caveau de Hari Seldon. Avez-vous jamais songé à ce que pourrait contenir le caveau ?

— Je ne sais pas. Rien d'important. Un discours d'anniversaire enregistré, peut-être. Je ne crois pas qu'il faille attacher une signification particulière au caveau, encore que le *Journal* », ajouta-t-il avec un regard mauvais dans la direction de Hardin, qui répondit par un sourire, « ait voulu monter en épingle cette cérémonie. Mais j'y ai mis bon ordre.

— Ah ! dit Fara, mais vous avez peut-être tort. Ne trouvez-vous pas, reprit-il en se caressant le nez, que l'ouverture du caveau a lieu à un moment étrangement opportun ?

— Très *inopportun,* vous voulez dire, murmura Fulham. Nous avons bien d'autres choses en tête.

— D'autres choses plus importantes qu'un message de Hari Seldon ? Je ne crois pas. » Fara devenait de plus en plus pontifiant, et Hardin le considéra d'un œil songeur. Où voulait-il en venir ?

« Vous avez tous l'air d'oublier, poursuivit Fara, que Seldon était le plus grand psychologue de notre époque et le créateur de notre Fondation. Il est donc raisonnable de penser que notre maître a fait usage de sa science pour déterminer le cours probable de l'histoire dans l'avenir immédiat. S'il l'a fait, ce qui ne m'étonnerait guère, il a certainement trouvé un moyen de nous prévenir du danger et peut-être même de nous suggérer une solution. L'Encyclopédie était une entreprise qui lui tenait fort à cœur, vous le savez. »

Le doute se lisait sur tous les visages. Pirenne toussota. « Ma foi, je n'en sais trop rien. La psychologie est une noble science, mais... il n'y a pas parmi nous de psychologues, je crois. Il me semble que nous sommes ici sur un terrain bien incertain. »

Fara se tourna vers Hardin. « N'avez-vous pas étudié la psychologie avec Alurin ? »

Hardin répondit d'un ton rêveur : « Oui, mais je n'ai jamais terminé mes études. Je me suis lassé de la théorie. Je voulais être ingénieur psychologicien, mais comme je n'en avais pas les moyens, j'ai choisi ce qu'il y avait de plus voisin : j'ai fait de la politique. C'est pratiquement la même chose.

— Eh bien, que pensez-vous du caveau ? »

Hardin répondit prudemment : « Je ne sais pas. »

Il ne dit plus un mot jusqu'à la fin de la séance, bien que l'on se fût remis à parler du voyage du chancelier de l'Empire.

A vrai dire, il n'écoutait même pas. Il était sur une nouvelle piste, et les éléments s'assemblaient... lentement.

La psychologie était la clef du problème : il en était sûr.

Il essaya désespérément de se souvenir de la théorie psychologique qu'il avait apprise jadis. Et il en tira aussitôt une conclusion.

Un grand psychologue comme Seldon était capable de lire assez clairement dans l'enchevêtrement des émotions et des réactions humaines pour pouvoir prédire la tendance générale de l'avenir.

Et cela signifiait... hum... hum !

IV

Le seigneur Dorwin prisait. En outre, il avait des cheveux longs et des boucles qui devaient manifestement beaucoup à l'art du coiffeur, ainsi que de longs favoris blonds qu'il caressait tendrement. Il s'exprimait avec une extrême affectation et ne prononçait pas les *r*.

Hardin, pour le moment, n'avait pas le temps de réfléchir aux raisons qui l'avaient fait prendre en grippe le noble chancelier. Certes, il y avait les gestes élégants de la main dont l'autre ponctuait ses propos, et la stupide condescendance qui marquait fût-ce la plus simple de ses phrases.

Le problème maintenant était de le retrouver. Il avait disparu avec Pirenne une demi-heure auparavant, complètement disparu, l'animal.

Hardin était sûr que sa propre absence lors des discussions préliminaires faisait parfaitement l'affaire de Pirenne.

On avait vu Pirenne dans ce corps de bâtiment, à cet étage. Il suffisait d'essayer toutes les portes. Il poussa un battant et distingua aussitôt le profil facilement reconnaissable du seigneur Dorwin qui se détachait sur l'écran lumineux.

Le chancelier leva les yeux et dit : « Ah ! Had'din. Vous nous che'chiez sans doute ? » Il lui tendit une tabatière à l'ornementation chargée et, quand Hardin eut poliment refusé de se servir, le seigneur Dorwin prit une pincée de tabac en souriant gracieusement.

Pirenne considérait la scène avec mépris, Hardin avec une parfaite indifférence.

Le seigneur Dorwin referma le couvercle de sa tabatière avec un petit bruit sec, puis il dit : « C'est une supe'be 'éussite que vot'e Encyclopédie, Ha'din. Une ent'p'ise digne des plus g'andes œuv'es de tous les temps.

— C'est l'avis de la plupart d'entre nous, monseigneur. Mais nous ne sommes pas encore au terme de notre travail.

— D'ap'ès ce que j'ai vu du fonctionnement de vot'e Fondation, voilà qui ne m'inquiète guè'e. » Il se tourna vers Pirenne qui répondit par un petit salut ravi.

Ils sont trop mignons, songea Hardin. « Je ne me plaignais pas tant, monseigneur, dit-il tout haut, du manque d'activité de la Fondation que de l'excès d'activité que déploient les Anacréoniens, activité qui s'exerce toutefois dans une direction très différente.

— Ah ! oui, Anac'éon, fit le chancelier, avec un petit geste méprisant. J'en a''ive justement. C'est une planète tout à fait ba'ba'e. Je ne comp'ends pas comment des c'éatu'es humaines peuvent viv'e dans la Pé'iphé'ie. On n'y t'ouve 'ien de ce qui peut fai'e le bonheu' d'un homme cultivé ; on y igno'e tout confo't ; on y vit dans des conditions... »

Hardin l'interrompit sèchement : « Les Anacréoniens, malheureusement, possèdent tout ce qu'il faut pour faire la guerre et disposent des engins de destruction les plus perfectionnés.

— C'est v'ai, c'est v'ai. » Le seigneur Dorwin semblait agacé, peut-être n'aimait-il pas être interrompu au milieu d'une période. « Mais nous ne sommes pas là pour pa'ler de ça, vous savez. Voyons, docteu' Pi'enne, si vous me mont'iez le second volume ? »

Les lumières s'éteignirent et, dans la demi-heure qui suivit, on ne fit pas plus attention à Hardin que s'il avait été sur Anacréon. Le livre qu'on projetait sur l'écran ne l'intéressait guère et il ne cherchait même pas à suivre, mais le seigneur Dorwin, lui, manifesta un tel plaisir que, dans son excitation, il lui arriva de prononcer un *r* de-ci de-là.

Quand on eut rallumé les lumières, il déclara : « Me'veilleux. V'aiment me'veilleux. Vous ne vous inté'essez pas à l'a'chéologie pa' hasa'd, Ha'din ?

— Pardon ? » Hardin dut se secouer pour sortir de sa rêverie. « Non, monseigneur, je ne peux pas dire que la question me passionne. J'ai une formation de psychologue et j'ai fini comme un politicien.

— Ah ! Ce sont sans doute des études fo't inté'essantes. Pou' ma pa't, figu'ez-vous, reprit-il en s'administrant une énorme prise de tabac, j'ai un faible pour l'a'chéologie.

— Vraiment ?

— Monseigneur, expliqua Pirenne, est une autorité en la matière.

— Une auto'ité, une auto'ité, c'est peut-êt'e beaucoup di'e, fit monseigneur d'un ton complaisant. J'ai beaucoup t'availlé la question. J'ai beaucoup lu. J'ai étudié tout Ja'dun, tout Obijasi, tout K'omwill... enfin, vous voyez.

— J'ai entendu parler naturellement de ces auteurs, dit Hardin, mais je ne les ai jamais lus.

— Vous dev'iez les li'e un jou', mon che'. Vous ne 'eg'ette'iez pas. Ce voyage dans la Pé'iphé'ie n'au'a pas été inutile, puisqu'il m'a pe'mis de voi' cet exemplai'e de Lameth. Figu'ez-vous que ce texte manque complètement dans ma bibliothèque. Vous n'oubliez pas, docteu' Pi'enne, que vous avez p'omis d'en t'ansdévelopper une copie pou' moi, avant mon dépa't ?

— Soyez tranquille, monseigneur.

— Lameth, vous savez, reprit le chancelier, d'un ton doctoral, 'appo'te une très inté'essante addition à ce que l'on savait jusqu'alors su' la question de l'o'igine.

— Quelle question ? demanda Hardin.

— La question de l'o'igine. Savoi' en quel end'oit a p'is

naissance l'espèce humaine. Vous savez bien qu'on pense qu'à lo'igine, la 'ace humaine n'occupait qu'un seul système planétai'e.

— Oui, bien sûr.

— Seulement, pe'sonne ne sait exactement quel système... tout cela se pe'd dans les b'umes de l'antiquité. Il existe bien des théo'ies, évidemment. Dans Si'ius, disent les uns. D'aut'es disent Alpha du Centau'e, ou le système solai'e, ou 61 du Cygne... tout cela étant situé toutefois dans le secteu' de Si'ius, vous 'ema'que'ez.

— Et que dit Lameth ?

— Eh bien, il a une théo'ie absolument 'évolutionnai'e. Il s'effo'ce de p'ouver que les vestiges a'chéologiques découve'ts su' la t'oisième planète d'A'ctu'us mont'ent qu'il existait là des colonies humaines à une époque où l'on ne connaissait pas enco'e les voyages inte'planétai'es.

— Cette planète serait donc le berceau de l'humanité ?

— Peut-êt'e. Il faud'a que je lise attentivement l'ouv'age de Lameth avant de pouvoi' me prononcer. »

Hardin parut méditer un moment puis demanda :

« Quand Lameth a-t-il écrit son livre ?

— Oh ! il doit y avoi' à peu p'ès huit cents ans. Natu'ellement, il s'est su'tout se'vi des t'avaux de Gleen.

— Alors pourquoi se fier à lui ? Pourquoi ne pas aller vous-même étudier les vestiges découverts sur la planète d'Arcturus ? »

Le seigneur Dorwin haussa les sourcils et s'empressa de humer une prise. « Mais dans quel but, mon che' ?

— Pour recueillir des renseignements de première main, voyons.

— A quoi bon ? Ce se'ait bien t'op compliqué. J'ai les ouv'ages de tous les vieux maît'es, de tous les g'ands a'chéologues d'aut'efois... Je les conf'onte, je pèse le pou' et le cont'e de chaque théo'ie, et j'en ti'e des conclusions. C'est cela la méthode scientifique. Du moins, conclut-il d'un ton protecteur, c'est la conception que j'en ai, *moi*. Je vous demande un peu pou'quoi j'i'ais pe'd'e mon temps dans la 'égion d'A'ctu'us ou dans le système sola're, alo's que les vieux maît'es ont fait cela bien mieux que je ne pou''ais le faire moi-même.

— Je comprends », fit Hardin, poliment.

Et c'était cela qu'il appelait la méthode scientifique ! Rien d'étonnant à ce que la Galaxie s'en allât à la dérive !

« Si vous voulez bien me suivre, monseigneur, dit Pirenne, je crois qu'il est temps de rentrer.

— C'est v'ai, c'est v'ai. »

Au moment où ils allaient quitter la pièce, Hardin dit brusquement : « Monseigneur, puis-je poser une question ? »

Le seigneur Dorwin sourit d'un air affable et eut un petit geste gracieux de la main. « Ce'tainement, mon che'. T'op heu'eux de pouvoi' vous aider. Si mes modestes connaissances peuvent vous êt'e utiles en quoi que ce soit...

— Il ne s'agit pas précisément d'archéologie, monseigneur.

— Non ?

— Non. Voici. L'an dernier, nous avons appris sur Terminus qu'une centrale atomique avait explosé sur la Planète 5 de Gamma d'Andromède. Mais nous n'avons eu aucun détail sur l'accident. Je me demandais si vous pourriez me dire exactement ce qui s'est passé.

— Je ne vous vraiment pas, fit Pirenne d'un ton impatient, pourquoi vous ennuyez Monseigneur avec des questions sans intérêt.

— Mais pas du tout, pas du tout, docteu' Pi'enne, protesta le chancelier. Il n'y a pas g'and-chose à di'e su' cette affai'e. La cent'ale a, en effet, explosé et ça a été une vé'itable catast'ophe, vous savez. Je c'ois que plusieu's millions de pe'sonnes ont pé'i et qu'au moins la moitié de la su'face de la planète a été dévastée. Le gouve'nement envisage sé'ieusement de cont'ôler de plus p'ès l'emploi de l'éne'gie atomique... mais il s'agit là, natu'ellement, de mesu'es confidentielles.

— Naturellement, dit Hardrin. Mais quelle était la cause de l'accident ?

— Ma foi, dit le seigneur Dorwin, personne ne sait t'ès bien. L'usine était déjà tombée en panne quelques années plus tôt, et l'on a pensé que les 'épa'ations avaient été mal faites. C'est si difficile de nos jou's de t'ouver des ingénieu's qui connaissent à fond les installations atomiques. » Sur quoi il se servit une prise d'un air mélancolique.

« Vous savez, dit Hardin, que les royaumes indépendants de la Périphérie ont également renoncé à employer l'énergie atomique ?

— Pas possible ? Ça ne métonne pas, vous savez. Ce sont des planètes v'aiment ba'ba'es... Mais, mon che', ne pa'lez pas de 'oyaumes indépendants. Ils ne sont pas indépendants, vous savez bien. Les t'aités que nous avons conclus avec eux sont fo'mels. Ces planètes 'econnaissent la souve'aineté de l'empe'eu'. Sinon nous n'au'ins pas t'aité avec elles, bien sû'.

— Cela se peut, mais elles n'en ont pas moins une grande liberté d'action.

— Sans doute. Une libe'té considé'able. Mais cela n'a gu'ère d'impo'tance. L'Empi'e peut t'ès bien suppo'ter que la Pé'iphé'ie jouisse d'une ce'taine autonomie. Ce sont des planètes qui ne nous appo'tent 'ien, vous savez. Tout à fait ba'ba'es. A peine civilisées.

— Elles étaient civilisées jadis. Anacréon était une des plus riches provinces extérieures. Je crois qu'à ce point de vue, on pouvait la comparer à Véga.

— Oh ! mais il y a des siècles de cela. Vous ne pouvez pas en ti'er de conclusions. La situation était t'ès diffé'ente aut'efois. Nous ne sommes plus ce que nous étions, vous savez, Mais, dites-moi, Ha'din, vous êtes bien entêté. Je vous ai dit que je ne voulais pas pa'ler affai'es aujou'd'hui. Le docteu' Pi'enne m'avait bien p'évenu que vous essaie'iez de m'ent'aîner dans une discussion, mais on n'app'end pas à un vieux singe à fai'e la g'imace ! Nous examine'ons tous ces p'oblèmes demain. »

Et l'on en resta là.

V

C'était la seconde séance du Conseil auquel assistât Hardin, sans compter les entretiens officieux que ses membres avaient eus avec le seigneur Dorwin avant son départ. Le Maire était pourtant convaincu qu'au moins une réunion s'étai tenue sans qu'on l'en eût avisé.

Et il était bien certain qu'on ne l'aurait pas non plus prié de venir aujourd'hui s'il n'y avait pas eu cette question de l'ultimatum.

Car il s'agissait en effet d'un ultimatum bien qu'en apparence on eût pu prendre le document visigraphique pour un message de cordiales salutations adressé par un souverain voisin.

Hardin relisait le texte. Cela commençait par les congratulations de « *Sa Puissante Majesté, le roi d'Anacréon, à son frère et ami, le docteur Lewis Pirenne, président du Conseil d'Administration de la Fondation encyclopédique n° 1* », et cela se terminait par un gigantesque sceau multicolore d'un symbolisme extrêmement complexe.

Mais ce n'en était pas moins un ultimatum.

« Finalement, dit Hardin, nous n'avions guère de temps devant nous : trois mois seulement. Mais, de toute façon, nous avons gaspillé le peu de répit qu'on nous accordait. Il ne nous reste plus qu'une semaine maintenant. Qu'allons-nous faire ?

— Il doit y avoir une solution, dit Pirenne, le front soucieux. Il est absolument inconcevable qu'ils poussent les choses très loin, après les assurances que nous a prodiguées le seigneur Dorwin quant à l'attitude de l'empereur et de l'Empire.

— Ah ! fit Hardin, vou avez fait part au roi d'Anacréon de ce soi-disant point de vue de l'empereur ?

— Parfaitement... après avoir mis la proposition aux voix et avoir recueilli l'unanimité du Conseil.

— Et quand ce vote a t-il eu lieu ? »

Pirenne se drapa dans sa dignité. « Je ne crois pas que j'aie de comptes à vous rendre, monsieur Hardin.

— Très bien. Ça ne m'intéresse pas tellement, vous savez. Laissez-moi vous dire toutefois qu'à mon avis c'est cette mesure d'habile diplomatie (il sourit) qui est à l'origne de ce message d'amitié. Ils auraient peut-être attendu plus longtemps sans cela... Je ne vois d'ailleurs pas en quoi cela aurait avancé Terminus, étant donné l'attitude du Conseil.

— Et comment arrivez-vous à cette remarquable conclusion, monsieur le Maire ? interrogea Yate Fulham.

— Oh ! c'est bien simple. Il me suffit de faire usage de ce moyen, si démodé : le bon sens. Il existe, figurez-vous, une branche des connaissances humaines qu'on désigne sous le nom de logique symbolique, et qu'on peut employer pour clarifier tout le fatras qui entoure d'ordinaire le langage.

— Et alors ? dit Fulham.

— Je l'ai utilisée. Je l'ai notamment appliquée à l'étude du document qui nous intéresse. Je n'en avais pas tellement besoin en ce qui me concerne, mais j'ai pensé qu'il me serait plus facile d'en expliquer la teneur exacte à cinq physiciens si je me servais de symboles plutôt que de mots. »

Hardin tira d'une sacoche quelques feuilles de papier qu'il étala devant lui. « Ce n'est pas moi qui ai fait ce travail, annonça-t-il. Il est signé, comme vous pouvez le voir, de Muller Holk, de la Section de Logique. »

Pirenne se pencha vers la table pour mieux voir, tandis que Hardin continuait : « Le message d'Anacréon ne présentait pas de difficultés, car ceux qui l'ont rédigé sont des hommes d'action plutôt que des orateurs. Il se réduit à la déclaration que vous voyez exprimée ici en symboles et qui, traduite en mots, signifie pratiquement : Vous nous donnez ce que nous voulons d'ici une semaine ou bien nous vous administrons une raclée et nous nous servons tout seuls. »

Sans rien dire, les membres du Conseil examinaient les symboles. Au bout d'un moment, Pirenne se rassit en toussotant d'un air gêné.

« Vous voyez une solution, docteur Pirenne ? demanda Hardin.

— Il ne semble pas y en avoir.

— Très bien, fit Hardin en exhibant d'autres papiers. Vous avez maintenant devant vous une copie du traité qu'ont conclu l'Empire et Anacréon, traité, soit dit en passant, qui a été signé au nom de l'empereur par le même seigneur Dorwin dont nous avons eu la visite la semaine dernière ; en voici l'analyse symbolique. »

Le traité comprenait cinq pages en petits caractères ; l'analyse occupait moins d'une demi-page.

«Comme vous le voyez, messieurs, quatre-vingt-dix pour cent de ce document se révèlent à l'analyse n'avoir aucune signification, et, en définitive, le tout se ramène aux intéressantes propositions que voici :

« Obligations d'Anacréon envers l'Empire : *Nulles !*

« Autorité de l'Empire sur Anacréon : *Nulle !* »

Les cinq membres du Conseil examinèrent attentivement l'analyse en se référant par moments au texte intégral du traité, puis Pirenne dit d'un ton soucieux : « L'analyse semble exacte.

— Vous convenez donc qu'il ne s'agit de rien d'autre que d'une déclaration de totale indépendance de la part d'Anacréon et d'une reconnaissance de cette situation par l'empereur ?

— Il me semble bien, en effet.

— Et croyez-vous qu'Anacréon ne l'ait pas compris et ne tienne pas à bien marquer cette indépendance ? Ce qui l'amènerait tout naturellement à se rebiffer devant tout semblant de menace de la part de l'Empire ? A plus forte raison quand il est évident que l'Empire est incapable de mettre à exécution ses menaces.

— Mais alors, intervint Sutt, comment monsieur le Maire Hardin explique-t-il les assurances que nous a données le seigneur Dorwin quant à l'appui que nous accorderait l'Empire ? Ces assurances semblaient... satisfaisantes. »

Hardin se renversa dans son fauteuil. « C'est là le point le plus intéressant. Je dois l'avouer, j'avais cru tout d'abord que Sa Seigneurie était un crétin consommé... mais c'est en fait un diplomate accompli et un homme d'une remarquable habileté. J'ai pris la liberté d'enregistrer tout ce qu'il a dit. »

Un murmure de protestation échappa aux membres du Conseil et Pirenne prit une expression scandalisée.

« Et alors ? fit Hardin. Je reconnais que c'était une grossière infraction aux lois de l'hospitalité et une chose qu'aucun soi-disant honnête homme n'aurait faite. Et si monseigneur s'en était aperçu, cela aurait pu donner lieu à une explication fort déplaisante : mais il n'en a rien su, j'ai l'enregistrement et tout est pour le mieux. J'ai remis une copie de cet enregistrement à Holk pour qu'il l'analyse comme le reste.

— Et qu'a révélé l'analyse ? interrogea Lundin Crast.

— Voilà justement ce qui est intéressant, messieurs. Cette analyse s'est révélée à tous égards la plus difficile des trois. Quand Holk, après deux jours de travail acharné, a réussi à éliminer les déclarations qui ne voulaient rien dire, les paroles vagues et les détails sans intérêt — en bref tout le bla-bla-bla — il s'est aperçu qu'il ne restait rien. Absolument rien.

« Le seigneur Dorwin, messieurs, en cinq jours de discussion, n'a strictement rien dit de positif, et il s'y est si bien pris que vous ne vous en êtes pas aperçus. Voilà les assurances de votre cher Empire. »

La confusion n'aurait pas été plus grande si Hardin avait placé sur la table une bombe allumée. Il attendit d'un air las que le calme revînt.

« Donc, conclut-il, quand vous avez menacé Anacréon d'une intervention impériale, vous n'avez fait qu'irriter un monarque qui savait à quoi s'en tenir. Son orgueil exigeait évidemment une action immédiate : d'où l'ultimatum. Et nous en revenons à la question que je posais tout à l'heure : qu'allons-nous faire ?

— Il semble, dit Sutt, que nous ne puissions faire autrement que de laisser Anacréon installer des bases militaires sur Terminus.

— Je suis bien d'accord avec vous, répondit Hardin, mais quelles mesures prendrons-nous pour les flanquer dehors à la première occasion ?

Yate Fulham se tortillait la moustache. « On dirait que vous êtes résolu à recourir à la violence.

— La violence, rétorqua Hardin, est le dernier refuge de l'incompétence. Mais je n'ai certainement pas l'intention de déployer un tapis sous les pas des envahisseurs ni de leur cirer les bottes.

— Tout de même, la façon dont vous dites cela ne me plaît guère, insista Fulham. C'est une attitude dangereuse ; d'autant plus dangereuse que, depuis quelque temps, une partie importante de la population semble réagir favorablement à toutes vos suggestions. J'aime autant vous dire, monsieur le Maire, que le Conseil n'ignore pas vos récentes activités. »

Il se tut au milieu de l'approbation générale. Hardin haussa les épaules sans rien dire.

« Si vous vouliez entraîner la ville à la violence, continua Fulham, ce serait courir au suicide, et nous n'entendons pas le tolérer. Notre politique a toujours gravité autour d'un seul principe : l'Encyclopédie. Quoi que nous soyons amenés à faire ou à ne pas faire, nos décisions auront toujours été subordonnées aux intérêts de l'Encyclopédie.

— Vous concluez donc, riposta Hardin, que nous devons poursuivre cette frénétique campagne d'inaction ?

— Vous venez vous-même de démontrer, dit Pirenne, non sans amertume, que l'Empire ne pouvait nous aider ; encore que je ne comprenne pas bien comment ni pourquoi il en est ainsi. Si un compromis est nécessaire... »

Hardin avait la sensation cauchemardesque de courir à toute vitesse sans arriver nulle part. « Il n'est pas question de compromis ! Vous ne comprenez donc pas que ces questions de bases militaires ne sont qu'un mauvais prétexte. Haut Rodric nous a dit ce que cherchait Anacréon : l'annexion, l'établissement de son propre système de domaines féodaux et d'une économie s'appuyant sur l'aristocratie terrienne. L'effet que leur a produit notre bluff à propos de nos armes atomiques peut les inciter à agir lentement, mais ce n'est pas cela qui les arrêtera. »

Il s'était levé, et tous l'avaient imité, sauf Jord Fara.

« Veuillez vous asseoir, dit ce dernier. En voilà assez, ce

me semble. Voyons, il n'y a pas de quoi prendre un air furieux, monsieur le Maire Hardin ; aucun de nous n'a commis de trahison.

— C'est vous qui le dites !

— Allons, fit Fara d'un ton conciliant, vous savez bien que vous n'en pensez rien. Laissez-moi parler ! »

Ses petits yeux malins étaient à demi clos et la transpiration faisait briller son menton. « Il est inutile de dissimuler plus longtemps que le conseil attend, de ce qui va se passer lors de l'ouverture du caveau, dans six jours, la véritable solution au problème des relations avec Anacréon.

— C'est tout ce que vous avez trouvé ?

— Oui.

— Alors nous allons nous contenter d'attendre en toute sérénité que le *deus ex machina* jaillisse du cerveau ?

— Exprimée sous une forme moins partisane, c'est en effet notre opinion.

— C'est le triomphe de la politique de l'autruche ! Vraiment, docteur Fara, c'est du génie ! Il faut un esprit d'une grande envergure pour concevoir un pareil projet.

— Votre goût pour l'épigramme est amusant, Hardin, dit Fara avec un sourire indulgent, mais déplacé. Vous vous souvenez, je pense, du raisonnement que j'ai tenu à propos de l'ouverture du caveau, voilà trois semaines.

— Oui, je m'en souviens. Vous avez dit — arrêtez-moi si je me trompe — que Hari Seldon avait été le plus grand psychologue du système ; qu'il était donc capable de prévoir la situation déplaisante dans laquelle nous nous trouvons aujourd'hui ; qu'il avait donc conçu le caveau comme un moyen de nous proposer une solution.

— C'est à peu près cela.

— Vous étonnerais-je en vous révélant que j'ai longuement réfléchi à la question ces dernières semaines ?

— J'en suis très flatté. Et quel a été le résultat de vos méditations ?

— Que la pure déduction était en l'occurrence insuffisante ; qu'une fois de plus, il fallait une parcelle de bon sens.

— Mais encore ?

— Eh bien, s'il a prévu les difficultés que nous aurions avec Anacréon, pourquoi ne pas nous avoir placés sur une autre planète plus proche des centres galactiques ? Car on n'ignore pas que c'est Seldon qui a amené les commissaires de Trantor à ordonner l'établissement de la Fondation sur Terminus. Mais pourquoi ce choix ? Pourquoi nous avoir installés ici s'il était capable de prévoir la rupture des lignes de communication, notre isolement de la Galaxie, les menaces que feraient peser sur nous nos voisins... et notre impuissance du fait que Terminus n'a aucune ressource minérale ? Ou alors, s'il a prévu tout cela, pourquoi n'avoir pas prévenu les premiers colons de façon qu'ils puissent se préparer, plutôt que d'attendre, comme il le fait, que nous ayons déjà un pied au-dessus du vide avant de nous conseiller ?

« Et n'oubliez pas non plus une chose. Même s'il pouvait prévoir la situation *alors*, nous pouvons tout aussi bien la voir *maintenant*. Après tout, Seldon n'était pas un magicien. Il n'existe pas de méthodes pour sortir de cette situation que lui pouvait imaginer et nous pas.

— Mais, Hardin, lui rappela Fara, nous n'en imaginons aucune !

— Vous n'avez même pas *essayé !* Vous avez commencé par refuser d'admettre que nous étions menacés. Puis vous avez placé une foi aveugle dans l'empereur. Maintenant, c'est sur Hari Seldon que vous reportez vos espoirs. Vous vous êtes invariablement reposés sur l'autorité ou sur le passé : jamais vous n'avez voulu compter sur vous-mêmes. »

Son poing martelait la table. « C'est une attitude morbide : un réflexe conditionnel qui vous fait écarter toute velléité d'indépendance chaque fois qu'il est question de s'opposer à l'autorité. Vous avez l'air de ne pas douter que l'empereur est plus puissant que vous et Hari Seldon plus sage. Et vous avez tort, je vous assure. »

Personne ne répondit.

Hardin reprit : « Vous n'êtes pas les seuls, d'ailleurs. C'est la même chose dans toute la Galaxie. Pirenne a entendu comme moi le seigneur Dorwin exposer ses idées sur la recherche scientifique. Selon lui, pour être bon archéologue, il suffit de lire tous les livres écrits sur la question... par des hommes morts depuis des siècles. Il estime que la façon de résoudre les énigmes de l'archéologe, c'est de peser le pour et le contre des thèses contradictoires. Et Pirenne l'écoutait sans protester. Vous ne trouvez pas qu'il y a là quelque chose d'anormal ? »

Cette fois encore, son accent presque implorant n'éveilla aucun écho.

« Et nous autres, reprit-il, et la moitié de la population de Terminus, nous ne valons guère mieux. Nous sommes là à béer devant l'Encyclopédie. Nous estimons que l'ultime but de la science est la classification des connaissances acquises. C'est une tâche importante, mais n'y a-t-il pas autre chose à faire ? Nous sommes en régression, est-ce que vous ne vous en rendez pas compte ? Dans la Périphérie, ils ont perdu le secret de l'énergie atomique. Sur Gamma d'Andromède, une centrale d'énergie a sauté parce qu'elle avait été mal réparée, et le chancelier de l'Empire déplore que les techniciens dans cette branche soient rares. Quelle solution recommande-t-il ? En former de nouveaux ? Jamais de la vie ! Non, il propose de limiter l'usage de l'énergie atomique.

« Ne comprenez-vous donc pas ? C'est un mal qui ronge la Galaxie tout entière. On pratique le culte du passé. On stagne ! »

Son regard parcourut l'assemblée.

Fara fut le premier à réagir. « Ce n'est pas la philosophie mystique qui va nous aider. Soyons réalistes. Niez-vous que Hari Seldon ait été capable de deviner les tendances historiques de l'avenir par simple calcul psychologique ?

— Non, bien sûr que non, s'écria Hardin. Mais nous ne pouvons pas compter sur lui pour nous fournir une solution. Il pourrait, tout au plus, nous indiquer le problème, mais, s'il existe une solution, c'est à nous de la trouver. Il ne peut pas le faire pour nous.

— Qu'entendez-vous par « nous indiquer le problème » ? Nous le connaissons, le problème !

— C'est ce que vous croyez ! s'exclama Hardin. Vous vous imaginez que Hari Seldon n'a pensé qu'à Anacréon. Je ne suis pas d'accord avec vous, messieurs. Je vous affirme qu'aucun de vous n'a encore la plus vague notion de ce qui se passe en réalité !

— Mais ce n'est pas votre cas, sans doute, dit Pirenne, d'un ton sarcastique.

— Je ne crois pas ! » Hardin se leva d'un bond et repoussa son siège. « Quoi qu'il en soit, un point est sûr : c'est que toute cette situation a quelque chose de déplaisant ; il y a là des éléments qui nous dépassent. Posez-vous donc cette question : comment se fait-il que la population originelle de la Fondation n'ait pas compté un seul grand psychologue, à l'exception de Bor Alurin ? Lequel a pris grand soin de n'enseigner à ses élèves que les rudiments de la psychologie. »

Il y eut un bref silence que Fara rompit en demandant :

« Bon. Eh bien, pourquoi ?

— Peut-être parce qu'un psychologue aurait pu comprendre ce que tout cela signifiait... trop tôt au gré de Hari Seldon. Jusqu'alors, nous n'avons fait que tâtonner, qu'apercevoir des fragments de la vérité, pas davantage. Et c'est ce qu'a voulu Hari Seldon. »

Il éclata d'un rire narquois. « Je vous salue, messieurs ! »

Et il quitta la salle.

VI

Le Maire Hardin mâchonnait le bout de son cigare éteint. Il n'avait pas dormi la nuit précédente et il avait bien l'impression qu'il ne fermerait pas l'œil cette nuit non plus. Il avait les yeux rouges.

« Et cela pourrait marcher comme ça ?

— Je crois que oui, fit Yohan Lee en se frottant le menton. Qu'en pensez-vous ?

— Ça n'a pas l'air mal. Mais, vous comprenez, il faut que ce soit fait avec aplomb. Qu'il n'y ait pas d'hésitation ; qu'on ne leur laisse pas le temps de se rendre compte de ce qui se passe. Dès l'instant où nous serons en mesure de donner des ordres, il faudra les donner comme si nous n'avions jamais fait que ça toute notre vie, et ils obéiront par habitude. C'est là le grand principe du coup d'Etat.

— Et si le Conseil demeure irrésolu...

— Le Conseil ? N'en tenez pas compte. Après-demain, il n'aura plus aucune importance dans la conduite des affaires de Terminus. »

Lee hocha lentement la tête.

« C'est étrange qu'ils n'aient encore rien fait pour nous empêcher d'agir. Vous dites qu'ils se doutent de quelque chose ?

— Fara est sur le point de deviner. Parfois, il me fait peur. Et Pirenne se méfie de moi depuis que j'ai été élu. Seulement, ils n'ont jamais été capables de se rendre vraiment compte de ce qui se passait. Ils ne croient qu'à l'autoritarisme. Ils sont persuadés que l'empereur, du seul fait qu'il est l'empereur, est tout-puissant. Et ils sont non moins persuadés que le Conseil d'Administration, parce qu'il est le Conseil représentant l'empereur, ne saurait se trouver dans la situation de ne plus donner d'ordres. Cette incapacité d'admettre la possibilité d'une révolution est notre plus sûr atout. »

Il se leva et alla prendre un verre d'eau à la fontaine.

« Ce ne sont pas des mauvais bougres, quand ils ne s'occupent que de leur Encyclopédie — et nous veillerons à ce qu'ils ne s'occupent plus désormais d'autre chose. Mais ils sont absolument incompétents quand il s'agit de gouverner Terminus. Et maintenant, allez régler les derniers détails. J'ai besoin d'être seul. »

Il s'assit sur un coin du bureau, son verre d'eau à la main.

Par l'Espace ! Si seulement il était aussi confiant qu'il s'efforçait de le paraître ! Dans deux jours, les Anacréoniens allaient débarquer, et lui n'avait pour soutien qu'une série de vagues hypothèses sur ce qu'avait voulu faire Hari Seldon. Il n'était même pas un vrai psychologue : un amateur, tout au plus, qui essayait de percer à jour les desseins du plus grand esprit de l'époque.

Et si Fara avait raison ? Si Hari Seldon n'avait vu d'autre

problème que celui des relations avec Anacréon ? Si l'Encyclopédie était quand même la seule chose qui l'intéressât... alors, à quoi bon ce coup d'Etat ?

Il haussa les épaules et vida le contenu de son verre.

VII

Hardin observa qu'il y avait bien plus de six chaises dans le caveau, comme si l'on avait pensé y recevoir une plus nombreuse compagnie. Il alla s'asseoir dans un coin, aussi loin qu'il put des cinq autres.

Les membres du Conseil ne parurent pas s'en formaliser. Ils se parlaient très bas : on entendait parfois un mot, une syllabe, prononcés à voix un peu plus haute. Seul Jord Fara avait l'air à peu près calme. Il avait tiré une montre de sa poche et ne la quittait pas des yeux.

Hardin jeta un coup d'œil à la sienne, puis son regard revint à la cage de verre — absolument vide — qui occupait la moitié de la salle. C'était le seul élément un peu singulier ; rien en tout cas ne révélait la présence, où que ce fût, d'une parcelle de radium qui achevait de se désintégrer avant de déclencher un contact qui...

La lumière baissa !

Elle ne s'éteignit pas complètement, mais son éclat diminua avec une telle soudaineté que Hardin sursauta. Il avait levé les yeux vers l'éclairage du plafond et, quand il les tourna de nouveau dans la direction de la cage de verre, celle-ci n'était plus vide.

Elle était occupée par une silhouette... une silhouette assise dans un fauteuil roulant !

L'apparition demeura quelques instants silencieuse, puis elle referma le livre qu'elle tenait sur les genoux et en palpa machinalement la couverture. Puis elle sourit et son visage parut s'animer.

L'apparition dit : « Je suis Hari Seldon », d'une voix douce et vieille.

Hardin faillit se lever pour se présenter à son tour, mais il se maîtrisa à temps.

La voix continua, sur un ton parfaitement naturel : « Comme vous le voyez, je suis cloué dans ce fauteuil et ne puis me lever pour vous saluer. Vos grands-parents sont partis pour Terminus quelques mois avant que me frappe la paralysie qui m'immobilise depuis. Je ne peux pas vous voir, vous le savez, si bien que je ne puis vous accueillir comme il conviendrait. Je ne sais même pas combien vous êtes ; tout ceci doit donc se passer sans vain cérémonial. Que ceux d'entre vous qui sont debout veuillent bien s'asseoir ; et s'il y en a qui veulent fumer, je n'y vois pas d'inconvénient. Pourquoi en verrais-je ? reprit-il avec un petit rire. Je ne suis pas vraiment ici. »

Hardin chercha machinalement un cigare dans sa poche, puis se ravisa.

Hari Seldon lâcha son livre, comme s'il le posait sur une table à côté de lui, et quand ses doigts l'eurent abandonné, le livre disparut.

Il poursuivit : « Voilà cinquante ans aujourd'hui que fut instituée cette Fondation, cinquante ans durant lesquels ses membres ont ignoré vers quelles fins tendaient leurs efforts. Cette ignorance était nécessaire mais ne s'impose plus aujourdhui.

« Je vous dis tout de suite que la Fondation encyclopédique est, et a toujours été, une imposture ! »

Hardin entendit derrière lui quelques exclamations étouffées, mais il ne se retourna pas.

Hari Seldon, bien sûr, continuait imperturbable : « C'est une imposture, en ceci que ni moi ni mes collègues ne nous soucions de voir jamais publié un seul volume de l'Encyclopédie. Elle a rempli son but, puisqu'elle nous a permis d'arracher à l'empereur une charte, d'attirer ici les cent mille êtres humains nécessaires à la réalisation de notre projet, et de les occuper tandis que les événements se précisaient jusqu'au jour où il fut trop tard pour qu'aucun d'eux pût revenir en arrière.

« Durant les cinquante ans que vous avez consacrés à cette escroquerie — inutile de ménager nos expressions — votre retraite a été coupée et vous n'avez plus d'autre solution que de vous atteler au projet infiniment plus important qui a été et demeure le véritable but de notre entreprise.

« A cet effet, nous vous avons installés sur une planète et dans des conditions telles qu'en cinquante ans, vous vous êtes trouvés privés de toute liberté d'action. Désormais et pour des siècles, la route est pour vous tracée. Vous allez affronter toute une série de crises, comparables à celle-ci qui est la première, et chaque fois, votre liberté d'action se trouvera pareillement anéantie par les circonstances, si bien que vous ne pourrez adopter qu'une solution.

« C'est la solution indiquée par nos recherches psychologiques et qui s'impose d'elle-même.

« Depuis des siècles, les civilisations galactiques stagnaient quand elles ne déclinaient pas, bien que peu de gens, s'en rendissent compte. Aujourd'hui où vous m'écoutez, la Périphérie se morcelle et l'unité de l'Empire est ébranlée. Les historiens de l'avenir marqueront d'une croix un point de cinquante ans qui viennent de s'écouler et ils diront : « Ceci est le début de la chute de l'Empire Galactique. »

« Et quoique personne ou presque n'ait eu conscience de cette chute pendant des siècles encore, ils ne se seront pas trompés...

« La chute sera suivie d'une période de barbarie dont la psychohistoire nous dit qu'elle devrait normalement durer trente mille ans. Nous ne pouvons empêcher la chute. Nous ne le souhaitons même pas ; car la civilisation impériale a perdu toute la vigueur et toute la dignité qu'elle a pu avoir jadis. Mais nous pouvons abréger la durée de la période de barbarie qui doit suivre : nous pouvons la ramener à un seul millénaire.

« Nous ne vous expliquerons pas en détail comment y parvenir, pas plus qu'il y a cinquante ans nous ne vous avions dit la vérité à propos de la Fondation. Si nous vous disions tout, le projet risquerait d'échouer ; nous aurions couru le même risque en vous révélant plus tôt que l'Encyclopédie n'était quune imposture ; car alors, le développement de vos connaissances aurait accru votre liberté d'action et le nombre de variables qui seraient intervenues aurait dépassé les possibilités de la psychohistoire.

« Mais il n'en sera pas ainsi, car il n'y a pas de psychologues sur Terminus et il n'y en a jamais eu, sauf Alurin... et il était du complot.

« Il est une chose pourtant que je veux vous dire : c'est que Terminus et la Fondation sœur installée à l'autre extrémité de la Galaxie sont les germes de la renaissance : de là viendront les créateurs du second Empire Galactique. La crise actuelle est le premier pas vers cette conclusion.

« C'est d'ailleurs une crise assez simple, bien plus simple que celles qui vous attendent encore. Voici à quoi se résume la situation : vous êtes une planète brusquement coupée des centres encore civilisés de la Galaxie, et menacée par des voisins plus puissants. Vous représentez une petite colonie de savants cernée par des mondes barbares, une île où subsiste l'énergie atomique au milieu d'un océan dont les confins reculent chaque jour et où l'on ne connaît que des formes d'énergies plus rudimentaires ; mais, malgré cela, vous êtes sans défense, car vous manquez de métaux.

« Vous voyez donc que vous êtes contraints par la dure nécessité à agir. Quel aspect doit prendre cette action ? Autrement dit quelle est la solution du dilemme où vous vous trouvez ? Elle est, je crois, assez évidente ! »

L'image de Hari Seldon ouvrit la main vers le vide et le livre, une fois de plus, s'y matérialisa. Le vieux savant l'ouvrit et conclut :

« Mais, quelque tortueux que puisse devenir le cours de l'Histoire, dites bien à vos descendants qu'il a été déterminé d'avance et qu'il mène à un nouvel Empire plus grand encore que le précédent ! »

Les yeux de Seldon s'abaissèrent vers le livre, l'apparition s'évanouit et les lumières se remirent à briller.

Hardin vit Pirenne s'approcher de lui, l'air atterré, les lèvres tremblantes.

Le président parla d'une voix ferme, mais sans timbre :

« Vous aviez raison semble-t-il. Si vous voulez nous rejoindre ce soir à six heures, le Conseil va examiner avec vous les mesures à prendre. »

Ils échangèrent une poignée de main et sortirent ; Hardin,

demeuré seul, sourit. Ils étaient beaux joueurs quand même : leur esprit scientifique les contraignait à reconnaître qu'ils s'étaient trompés. Seulement, c'était trop tard.

Il regarda sa montre. Tout était fini maintenant. Les hommes de Yahan Lee avaient pris le pouvoir et le Conseil ne donnait plus d'ordres.

Les premiers astronefs anacréoniens devaient se poser le lendemain, mais cela n'avait pas d'importance non plus. Dans six mois, les envahisseurs cesseraient eux aussi de commander.

En fait, comme l'avait dit Hari Seldon, et comme l'avait deviné Salvor Hardin, depuis le jour où Haut Rodric lui avait révélé qu'Anacréon n'utilisait plus l'énergie atomique, la solution de la première crise était assez évidente.

Elle crevait les yeux !

TROISIEME PARTIE

LES MAIRES

I

LES QUATRE ROYAUMES : *C'est le nom qu'on donna à ces régions de la province d'Anacréon qui se séparèrent du premier Empire, au commencement de l'Ere de la Fondation, pour former des royaumes indépendants et éphémères. Le plus grand et le plus puissant d'entre eux était Anacréon, dont la superficie...*

... L'aspect le plus intéressant de l'histoire des Quatre Royaumes est certainement la création de cette étrange société qui se constitua durant l'administration de Salvor Hardin...

ENCYCLOPEDIA GALACTICA.

Une délégation !

Le fait que son arrivée ne fût pas une surprise pour Salvor Hardin ne l'empêchait pas d'être désagréable. Tout au contraire.

Yohan Lee était partisan des mesures extrêmes.

« Je ne vois pas, Hardin, dit-il, pourquoi nous perdrions encore du temps. Ils ne peuvent rien faire avant les prochaines élections — tout au moins sur le plan légal — et cela nous donne un an. Refusez de les recevoir.

— Lee, fit Hardin, vous ne changerez jamais. Depuis

quarante ans que je vous connais, je ne vous ai jamais vu pratiquer élégamment l'art de se dérober.

— Ce n'est pas mon genre, grommela Lee.

— Oui, je sais. C'est sans doute pour cela que vous êtes le seul en qui j'ai confiance. » Il se tut un instant et alluma un cigare. « Nous avons fait du chemin, Lee, depuis le jour de notre coup d'Etat contre les Encyclopédistes. Je vieillis : j'ai soixante-deux ans maintenant, vous savez. Ne trouvez-vous pas que ces trente années ont passé bien vite ?

— Je ne me sens pas vieux, moi, fit Lee d'un ton acerbe, et j'ai soixante-dix ans.

— Oui, mais je n'ai pas votre appareil digestif. » Hardin tirait sur son cigare d'un air songeur. Il avait depuis longtemps cessé de rêver au doux tabac de Véga de sa jeunesse. L'époque où Terminus entretenait des relations commerciales avec toutes les planètes de l'Empire Galactique appartenait au passé doré du bon vieux temps. Et l'Empire Galactique s'acheminait doucement vers la même direction. Hardin se demandait qui était le nouvel empereur... mais y avait-il un nouvel empereur, et existait-il même encore un Empire ! Par l'Espace ! Depuis trente ans maintenant que ces confins de la Galaxie n'avaient plus aucun rapport avec les régions centrales, tout l'univers de Terminus se limitait à la planète et aux Quatre Royaumes qui l'entouraient.

Quelle décadence ! *Des royaumes !* Autrefois, c'étaient des préfectures, qui faisaient partie d'une province, elle-même subdivision d'un secteur, appartenant à un quadrant de l'immense Empire Galactique. Et maintenant que l'Empire avait perdu toute autorité sur les régions lointaines de la Galaxie, ces petits groupes de planètes étaient devenus des royaumes, avec des rois d'opéra-comique, des nobles d'opérette, de petites guerres ridicules et une vie qui continuait, lamentable, au milieu des ruines.

Une civilisation en pleine décomposition. Le secret de l'énergie atomique perdu. Une science qui dégénérait en mythologie, voilà où on en était quand la Fondation était intervenue, cette Fondation créée justement pour cela sur Terminus pour Hari Seldon.

Lee était près de la fenêtre et sa voix vint interrompre le

cours des méditations de Hardin. « Ils sont venus dans une automobile dernier modèle, ces jeunes fats », dit-il.

Hardin sourit. « C'est moi qui ai donné des instructions pour qu'on les conduise jusqu'ici.

— Ici ! Pourquoi ? Vous leur donnez trop d'importance.

— Pourquoi s'imposer tout le cérémonial d'une audience officielle ? Je suis trop vieux pour ces singeries. Et d'ailleurs, la flatterie est une arme précieuse quand on a affaire à des jeunes ; surtout quand cela ne vous engage à rien, ajouta-t-il avec un clin d'œil complice. Allons, Lee, asseyez-vous et restez avec moi pour que j'aie votre soutien moral. J'en aurai besoin avec ce petit Sermak.

— Ce Sermak, dit Lee, est un individu dangereux. Il a de la suite dans les idées, Hardin. Ne le sous-estimez pas.

— Ai-je jamais sous-estimé personne ?

— Alors, faites-le arrêter. Vous trouverez bien un prétexte après coup. »

Hardin dédaigna le conseil. « Les voici, Lee. » En réponse à un signal qui venait de s'allumer, il pressa une pédale disposée sous son bureau et la porte glissa sur ses rails.

Les quatre membres de la délégation pénétrèrent dans la pièce et Hardin leur désigna des fauteuils placés en demi-cercle devant le bureau. Ils s'inclinèrent et attendirent que le Maire leur adressât la parole.

Hardin ouvrit le couvercle étrangement sculpté du coffret à cigares qui avait jadis appartenu à Jord Fara, du Conseil d'Administration, au temps lointain des Encyclopédistes. C'éait une authentique production impériale, en provenance de Santanni, mais qui ne contenait plus maintenant que des cigares indigènes. L'un après l'autre, gravement, les quatre envoyés acceptèrent un cigare et l'allumèrent suivant le rite consacré.

Sef Sermak était le second en partant de la droite, le benjamin de ce groupe de jeunes gens, le plus intéressant aussi, avec sa moustache jaune taillée en brosse et ses yeux très enfoncés d'une couleur incertaine. Hardin comprit tout de suite que les trois autres étaient des sous-fifres : cela se lisait sur leur visage. Ce fut sur Sermak qu'il concentra toute son attention, Sermak qui déjà, lorsqu'il siégeait au Conseil d'Administration, avait provoqué bien des difficultés. Ce fut à Sermak qu'il s'adressa :

« Je tenais particulièrement à vous voir, monsieur le conseiller, depuis votre remarquable discours du mois dernier. Les critiques auxquelles vous vous êtes livré contre la politique étrangère du gouvernement étaient fort bien venues.

— Ce compliment m'honore, dit Sermak. Mes critiques n'étaient peut-être pas bien venues, mais elles étaient assurément justifiées.

— Il se peut. Vous avez le droit d'avoir votre opinion. Toutefois, vous êtes assez jeune.

— C'est un reproche, répliqua sèchement Sermak, qu'on peut faire à la plupart des gens à une période de leur vie. Vous-même, vous aviez deux ans de moins que moi quand vous avez été élu Maire de la ville. »

Hardin réprima un sourire. Ce blanc-bec ne manquait pas d'aplomb. « Je suppose, dit-il, que vous venez me voir à propos de cette même politique étrangère qui semblait vous déplaire si fort lors de la dernière séance du Conseil. Parlez-vous aussi au nom de vos trois collègues, ou dois-je entendre chacun de vous séparément ? »

Il y eut entre les jeunes gens un bref échange de coups d'œil.

« Je parle, dit Sermak, au nom du peuple de Terminus... qui n'est pas réellement représenté dans cette institution fantoche qu'on appelle le Conseil.

— Très bien. Je vous écoute.

— Eh bien, voilà, monsieur le Maire. Nous sommes mécontents...

— Par « nous », vous entendez « le peuple », n'est-ce pas ? »

Sermak le regarda d'un air méfiant, flairant un piège. « Je crois, reprit-il, glacial, que mes opinions reflètent celles de la majorité du corps électoral de Terminus. Cela vous suffit-il ?

— A dire vrai, une pareille déclaration se passe difficilement de preuves, mais n'importe, continuez. Ainsi, vous êtes mécontents.

— Oui, mécontents de la politique qui, depuis trente ans, prive Terminus de tout moyen de défense contre l'agression qui ne peut manquer de se produire.

— Je comprends. Alors ? Continuez, continuez.

— Votre impatience me flatte... Alors, nous avons formé un nouveau parti politique, un parti qui s'occupera des besoins immédiats de Terminus, sans se soucier d'une mystique de la soi-disant « destinée » d'un futur Empire. Nous allons vous jeter dehors, vous et votre clique de pacifistes à tout crin... et sans tarder.

— A moins ? Vous savez qu'il y a toujours un à moins...

— A moins que vous ne donniez sur-le-champ votre démission. Je ne vous demande pas de modifier votre politique : je ne m'y fierais pas. Vos promesses ne valent rien. Nous n'accepterons qu'une démission inconditionnelle.

— Je comprends, fit Hardin en se balançant sur deux pieds de son fauteuil. C'est votre ultimatum. Je suis ravi que vous m'en ayez informé. Mais, voyez-vous, je ne crois pas que je vais en tenir compte.

— Ne prenez pas cela pour un avertissement, monsieur le Maire. C'est une déclaration de principe qui va être suivie de mesures immédiates. Le nouveau parti commencera demain son activité officielle Nous n'avons ni l'envie d'aboutir à un compromis et, à franchement parler, c'est seulement en hommage aux services que vous avez rendus à la ville, que nous avons voulu vous proposer cette solution élégante. Je ne pensais pas que vous l'accepteriez. mais ma décision est irrévocable. Les prochaines élections vous feront comprendre que votre démission s'impose. »

Il se leva et ses compagnons l'imitèrent.

Hardin leur dit.

« Attendez ! Asseyez-vous ! »

Sef Sermak se rassit, avec un empressement un tout petit peu trop visible, et Hardin s'en aperçut : en dépit de ce qu'il venait de dire, le jeune homme attendait une contreproposition.

« Dans quel sens souhaitez-vous que nous modifiions

notre politique étrangère ? Souhaitez-vous que nous attaquions les Quatre Royaumes à la fois, tout de suite ?

— Je ne vais pas jusque-là, monsieur le Maire. Nous proposons simplement de cesser toute temporisation. Jusqu'à ce jour, vous avez pratiqué une politique d'aide scientifique aux Royaumes. Vous leur avez donné les moyens d'utiliser l'énergie atomique. Vous les avez aidés à reconstruire des centrales atomiques. Vous avez installé sur leurs territoires des cliniques, des laboratoires, des usines.

— Et alors ? Quelle objection soulevez-vous ?

— Vous avez fait cela pour les empêcher de nous attaquer. Et vous vous êtes laissé duper dans un formidable chantage, si bien que Terminus se trouve maintenant à la merci de ces barbares.

— Comment cela ?

— Parce que vous leur avez donné la puissance, des armes, parce que vous avez à la lettre armé les navires de leurs flottes ; ils sont infiniment plus forts qu'ils ne l'étaient voilà trois décennies. Leurs exigences vont croissant et, grâce aux moyens dont ils disposent aujourd'hui, ils vont pouvoir bientôt les satisfaire toutes d'un coup en annexant purement et simplement Terminus. N'est-ce pas comme cela que se terminent d'ordinaire les histoires de chantage ?

— Et quel remède proposez-vous ?

— De cesser de leur jeter de nouvelles armes en pâture pendant que vous le pouvez encore. De consacrer toutes vos énergies à renforcer la position de Terminus... et d'attaquer le premier ! »

Hardin fixait avec un intérêt extraordinaire la petite moustache de Sermak. Le jeune homme devait se sentir sûr de lui, sinon il n'eût pas tant parlé. Ses propos devaient effectivement refléter le sentiment d'une large part de la population, d'une très large part.

La voix du Maire, pourtant, ne trahit pas la moindre inquiétude. Son ton, quand il répondit, était presque négligent : « Avez-vous fini ? demanda-t-il.

— Pour l'instant.

— Bon, alors voyez-vous cette déclaration encadrée au mur derrière moi ? Voulez-vous la lire ?

— *La violence,* lut Sermak, *est le dernier refuge de*

l'incompétence. C'est une doctrine de vieillard, monsieur le Maire.

— Je l'ai appliquée quand j'étais jeune homme, monsieur le conseiller... et avec succès. Vous étiez occupé à naître quand cela s'est passé, mais peut-être en avez-vous entendu parler en classe. »

Il toisa Sermak de la tête aux pieds et reprit d'un ton calme : « Quand Hari Seldon a installé la Fondation ici, c'était dans le but avoué de publier une grande Encyclopédie, et, durant cinquante ans, nous suivîmes cette fausse piste, avant de comprendre où il avait vraiment voulu en venir. A ce moment, il était déjà presque trop tard. Quand les communications avec le centre de l'ancien Empire se trouvèrent rompues, nous nous retrouvâmes un peuple de savants concentrés en une seule ville, sans industrie, et entourés de royaumes neufs hostiles et pratiquement barbares. Nous ne constituions qu'un minuscule îlot de puissance atomique au milieu de cet océan de barbarie, et par conséquent une proie infiniment enviable.

« Anacréon, qui était alors, comme aujourd'hui, le plus puissant des Quatre Royaumes, demanda et obtint l'établissement d'une base militaire sur Terminus ; les chefs de la ville, les Encyclopédistes, savaient pertinemment alors que ce n'était que le prélude à une annexion totale. Telle était la situation quand je... quand j'ai pris le gouvernement. Qu'auriez-vous fait ? »

Sermak haussa les épaules. « C'est une question de pure rhétorique. Je sais évidemment ce que vous avez fait, vous.

— Je vais quand même le rappeler brièvement. J'ignore si vous avez bien compris ce qui s'est passé. La tentation, bien sûr, était grande de rassembler toutes les forces dont nous pouvions disposer et de livrer bataille. C'est toujours la solution la plus facile et la plus satisfaisante pour l'amour-propre... mais presque invariablement la plus stupide aussi. C'est ce que *vous*, vous auriez fait ; vous qui ne parlez que d' « attaquer les premiers. » Mais pour ma part, je me suis rendu tour à tour dans chacun des trois autres royaumes ; à chacun, j'ai fait observer que laisser tomber aux mains d'Anacréon le secret de l'énergie atoomique était pour eux un suicide ; et je leur ai doucement fait comprendre qu'il ne leur restait qu'une chose à faire. Rien de plus. Un mois après le débarquement des forces anacréoniennes sur Terminus, le roi recevait un ultimatum rédigé conjointement par ses trois voisins. Sept jours plus tard, le dernier Anacréonien quittait Terminus.

« Dites-moi maintenant : était-il nécessaire de recourir à la violence ? »

Le jeune conseiller considéra d'un air songeur le mégot de son cigare, puis le lança dans le conduit de l'incinérateur.

« Je ne vois pas l'analogie. L'insuline rendra un diabétique normal sans qu'il soit besoin d'utiliser un bistouri, mais dans un cas d'appendicite, on est bien obligé d'opérer. C'est comme ça. Quand les autres méthodes ont échoué, que reste-t-il à part ce que vous appelez l'ultime refuge ? C'est votre faute si nous sommes ainsi acculés.

— Ma faute ? Oh ! oui, toujours ma politique d'apaisement. Vous me semblez n'avoir pas conscience des éléments fondamentaux du problème. Nos difficultés ne s'achevaient pas avec le départ des Anacréoniens. Elles ne faisaient que commencer. Les Quatre Royaumes étaient nos ennemis plus acharnés que jamais, car chacun voulait posséder le secret de l'énergie atomique, et seule la crainte des trois autres l'arrêtait dans son entreprise. Nous sommes en équilibre sur le fil d'une épée très aiguisée, et le plus léger mouvement dans une direction... Si, par exemple, un des royaumes devient trop fort ; ou si deux d'entre eux forment une coalition... Vous comprenez ?

— Certainement. C'était le moment de commencer les préparatifs de guerre.

— Au contraire. C'était le moment de commencer à tout mettre en œuvre pour empêcher la guerre. J'ai joué chacun des royaumes contre l'autre, je les ai tous aidés à tour de rôle. Je leur ai donné la science, l'éducation, la médecine scientifique. J'ai fait de Terminus un monde qu'ils ont intérêt à voir florissant, plutôt qu'une proie valable. Cela a duré trente ans.

— Oui, mais vous avez été contraint d'envelopper ces renseignements scientifiques de tout un appareil de superstition. La science est devenue un mélange de religion et de charlatanisme. Vous avez créé une hiérarchie de prêtres et un rituel absurde et compliqué.

— Et alors ? fit Hardin. Je ne vois pas le rapport avec la discussion. J'ai commencé d'agir ainsi parce que les barbares considéraient notre science comme une sorte de sorcellerie et qu'il était plus facile de les amener à l'accepter sur cette base. Le clergé s'est fait lui-même, et nous avons favorisé sa création parce que nous avons toujours suivi la ligne de moindre résistance. Mais c'est un aspect mineur du problème.

— Ces prêtres, en tout cas, contrôlent les centrales atomiques. Et ça, ce n'est pas un aspect mineur.

— Je vous l'accorde, mais c'est *nous* qui les avons formés. La connaissance qu'ils ont de leurs instruments n'est qu'empirique ; et ils croient dur comme fer à toutes les momeries dont ils sont entourés.

— Et si l'un d'eux n'y croit pas et qu'il ait en outre le génie suffisant pour dépasser le stade de la connaissance empirique, qu'est-ce qui va l'empêcher de découvrir le secret de la technique et de le vendre au plus offrant ? Quel intérêt présenterons-nous alors aux yeux des royaumes ?

— Il est très peu probable que cela se produise, Sermak. Vous n'avez de la situation qu'une vue superficielle. L'élite des planètes des Quatre Royaumes vient chaque année à la Fondation pour recevoir une formation cléricale. Et les meilleurs d'entre eux restent ici, attachés à nos centres de recherche. Si vous croyez que les autres, qui ne possèdent même pas les rudiments d'une culture scientifique, ou, ce qui est pire encore, qui n'en connaissent que la version déformée à l'usage du clergé, sont capables d'assimiler d'un coup les principes de l'énergie atomique, de l'électronique et la théorie des hypercourbes... eh bien, vous vous faites de la science une idée bien romanesque. Il faut plusieurs générations et un cerveau hors pair pour acquérir toutes ces connaissances. »

Yohan Lee s'était levé au milieu de la tirade de Hardin et avait quitté la pièce. Il revint au moment où le Maire finissait de parler et se pencha à l'oreille de son chef, en lui remettant un petit cylindre de plomb. Puis, lançant un regard hostile vers les délégués, Lee reprit sa place.

Hardin fit rouler le cylindre entre ses paumes, tout en surveillant du coin de l'œil la députation ; puis il ouvrit la capsule d'un geste sec. Seul Sermak fut assez avisé pour ne pas chercher à lire ce qu'il y avait d'écrit sur le rouleau de papier qui en tomba.

« Bref, messieurs, reprit Hardin, le gouvernement estime qu'il sait ce qu'il fait. »

Tout en parlant, il déchiffrait le message : celui-ci était rédigé dans un code compliqué et incompréhensible, mais trois mots étaient griffonnés au crayon dans le coin de la page. Quand il en eut pris connaissance, Hardin lança d'un geste négligent le message dans le conduit de l'incinérateur.

« Eh bien, fit-il, je crois que nous n'avons plus rien à nous dire. Très heureux de vous avoir rencontrés. Merci de votre visite. » Il distribua quelques poignées de main condescendantes et les quatre envoyés sortirent.

Hardin avait presque perdu l'habitude de rire, mais quand Sermak et ses trois acolytes furent hors de portée de voix, il ne put maîtriser un petit gloussement amusé.

« Qu'avez-vous pensé de cette bataille de bluff. Lee ?

— Je ne suis pas si sûr que lui bluffait, marmonna Lee. Si vous le ménagez, il est bien capable de l'emporter aux prochaines élections, comme il le prétend.

— Bien sûr, bien sûr... s'il n'arrive rien d'ici là.

— Tâchez de vous arranger en tout cas pour qu'il n'arrive rien qui puisse contrarier vos projets, Hardin. Je vous assure que ce Sermak a des gens derrière lui. Et s'il n'attendait pas les élections ? Souvenez-vous : il nous est arrivé, à vous et à moi, de précipiter un peu les choses, malgré votre slogan sur la violence.

— Vous êtes bien pessimiste, aujourd'hui, Lee. Et vous faites preuve aussi d'un curieux esprit de contradiction quand vous parlez de violence. Notre petit putsch s'est passé sans effusion de sang, ne l'oubliez pas. C'était une mesure nécessaire prise au bon moment, et toute l'opération s'est effectuée sans douleur. La situation de Sermak est tout à fait différente. Vous et moi, mon cher Lee, nous ne sommes pas des Encyclopédistes. Nous sommes prêts, nous. Mettez vos hommes aux trousses de ces jeunes gens, mon vieux. Qu'ils ne s'aperçoivent pas qu'ils sont surveillés, mais ayez-les à l'œil.

Lee eut un petit rire narquois. « Heureusement que je n'ai pas attendu d'avoir vos instructions, Hardin ! Sermak et ses hommes sont sous surveillance depuis un mois.

— Vous m'avez devancé ? fit Hardin en riant. Parfait. Ah ! pendant que j'y pense, ajouta-t-il sur un ton plus grave, l'ambassadeur Verisof rentre sur Terminus. Pour peu de temps, j'espère. »

Il y eut un bref silence embarrassé, puis Lee demanda : « Que disait le message ? Est-ce que ça craque déjà ?

— Je ne sais pas. Il faut que je voie d'abord ce que Verisof a à me dire. Mais c'est bien possible. Après tout, il faut bien qu'ils tentent quelque chose avant les élections. Mais, dites-moi, pourquoi cet air consterné ?

— Parce que je me demande comment tout cela va tourner. Vous êtes trop renfermé, Hardin, vous cachez trop votre jeu. »

« Toi aussi, Brutus », murmura Hardin. Et, tout haut, il répliqua : « Cela signifie-t-il que vous allez vous inscrire au nouveau parti de Sermak ?

— Bon, bon, fit Lee en souriant. Mettons que je n'aie rien dit. Si nous allions déjeuner ? »

II

On attribue à Hardin la paternité de nombreux aphorismes dont un grand nombre sans doute sont apocryphes. C'est bien lui en tout cas qui déclara un jour :

« Il est parfois utile de dire carrément ce qu'on pense, surtout si l'on a la réputation d'être retors. »

Poly Verisof avait eu plus d'une fois l'occasion d'appliquer cette maxime durant les quatorze années qu'il avait passées sur Anacréon, dans une position extrêmement fausse et qui lui donnait souvent la pénible impression de danser sur une corde raide.

Pour le peuple d'Anacréon, il était un grand prêtre, le représentant de cette Fondation qui, aux yeux de ces « barbares », était le mystère des mystères et le centre de la religion qu'avec l'aide de Hardin ils avaient adoptée depuis une trentaine d'années. A ce titre, il recevait des hommages qui n'avaient pas tardé à le lasser, car au fond de son cœur il méprisait le rituel dont il était le grand ordonnateur.

Mais, pour les rois d'Anacréon — le vieux, qui était mort, tout comme son petit-fils qui occupait maintenant le trône — il n'était que l'ambassadeur d'une puissance à la fois crainte et admirée.

C'était une situation assez précaire ; aussi ce voyage à la Fondation, le premier depuis trois ans, prenai-il un peu un caractère de vacances, malgré la gravité de l'incident qui l'avait motivé.

Comme il devait garder l'incognito le plus strict, Verisof avait voyagé en civil — ce changement de costume à lui seul était déjà une sorte de vacances — et pris place en seconde classe à bord d'un appareil commercial à destination de la Fondation. Arrivé sur Terminus, il se fraya un chemin parmi la foule qui encombrait l'astroport et appela l'Hôtel de Ville d'une cabine visophonique publique.

« Je suis Jan Smite, dit-il. J'ai rendez-vous avec le Maire cet après-midi. »

Il y eut des cliquetis dans l'appareil, Verisof attendit quelques secondes, puis la voix de la standardiste lui annonça : « Le Maire Hardin vous recevra dans une demi-heure, monsieur », après quoi l'écran redevint blanc.

L'ambassadeur s'en fut acheter la dernière édition du *Journal* de Terminus, gagna en flânant le jardin de l'Hôtel de Ville et, s'asseyant sur le premier banc libre, il lut l'éditorial, la page des sports et celle des jeux. La demi-heure écoulée, il plia le journal, pénétra dans l'Hôtel de Ville et se présenta à l'huissier. Personne ne l'avait reconnu.

Hardin le regarda en souriant : « Cigare ? Alors, comment s'est passé ce voyage ?

— Je ne me suis pas ennuyé une seconde, dit Verisof. J'avais pour voisin un prêtre qui venait ici suivre des cours sur la préparation des produits radioactivés... vous savez, pour le traitement du cancer...

— Mais il ne les appelait pas des produits radioactivés ?

— Oh ! non ! Pour lui, c'était du Pain de Vie.

— Ah ! bon, fit le Maire soulagé. Et alors ?

— Il m'a entraîné dans une interminable discussion théologique et a fait de son mieux pour m'élever au-dessus du matérialisme sordide où je croupis.

— Et il n'a pas reconnu son propre grand prêtre ?

— Sans la robe pourpre ? Pensez-vous ! D'ailleurs, c'était un Smyrnien. Mais cela a été une exprérience fort intéressante. Je m'émerveille tous les jours, Hardin, de voir comme la religion de la science a réussi à s'imposer. J'ai écrit un essai sur ce sujet... pour mon plaisir personnel, évidemment ; il ne s'agirait pas de le publier. Si l'on considère le problème du point de vue sociologique, il semble que, quand le vieil Empire Galactique a commencé à crouler, la science en tant que science a disparu peu à peu des régions périphériques. Pour être acceptée de nouveau, il lui a fallu se présenter sous un nouveau visage... et c'est exactement ce qui s'est passé. C'est vraiment une réussite.

— Très intéressant, en effet », dit le Maire. Puis, se croisant les mains derrière la nuque, il demanda soudain : « Parlez-moi un peu de la situation sur Anacréon ! »

L'ambassadeur se rembrunit et posa son cigare. « A dire vrai, elle n'est pas brillante.

— Si tout allait bien, vous ne seriez pas ici.

— Sans doute pas. Voici donc où nous en sommes. Le véritable maître d'Anacréon, c'est le prince régent, Wienis, l'oncle du roi Lepold.

— Je sais. Mais Lepold sera majeur l'an prochain, n'est-ce pas ? Je crois qu'il va avoir seize ans en février.

— Oui. » Verisof marqua un temps, puis ajouta d'un ton amer : S'il vit jusque-là. Le père du roi est mort dans des circonstances suspectes. On a appelé cela un accident de chasse.

— Humm. Voyons, si mes souvenirs sont exacts, je crois avoir vu Wienis lors de ma visite en Anacréon, quand nous les avons chassés de Terminus. Vous n'étiez pas encore ambassadeur en ce temps-là. Attendez... Si j'ai bonne mémoire, c'était un jeune homme brun, qui louchait un peu. Et il avait le nez crochu.

— C'est bien lui. A cela près que maintenant il a les cheveux gris. Heureusement, c'est le plus fieffé crétin de toute la planète. Et il se croit très fort, ce qui n'arrange rien.

— C'est généralement comme ça.

— Pour lui, le meilleur moyen de casser une noix, c'est de tirer un coup de fusil atomique dessus, vous comprenez. Vous n'avez qu'à vous souvenir de cette histoire d'impôt sur les biens du Temple qu'il a essayé de lever il y a deux ans, juste après la mort du vieux roi. »

Hardin hocha la tête d'un air songeur. « Les prêtres ont protesté, en effet.

— Avec une telle vigueur qu'on a dû les entendre jusque sur Lucrèce. Il se montre plus prudent maintenant dans ses rapports avec le clergé, mais il nous gêne quand même : il a une confiance quasi illimitée dans ses capacités.

— Sans doute un complexe d'infériorité surcompensé. C'est fréquent chez les cadets des familles royales, vous savez.

— Quoi qu'il en soit, le résultat est le même. Il ne pense qu'à attaquer la Fondation. Et il cache à peine ses intentions. Il peut d'ailleurs se le permettre, étant donné les armements dont il dispose Le vieux roi a construit une flotte imposante, et Wienis n'a pas perdu son temps lui non plus. En fait, l'impôt sur le clergé était, à l'origine, destiné à financer un nouveau programme d'armement, et quand ce projet a échoué, on a tout bonnement doublé le taux de l'impôt sur le revenu.

— Et les gens ont accepté sans récrimination ?

— Presque. Pendant des semaines, tous les sermons prêchés dans le royaume n'ont traité que de l'obéissance due à l'autorité consacrée. Wienis, soit dit en passant, ne nous a jamais témoigné la moindre gratitude.

— Bon. Je vois à peu près quelle est l'ambiance là-bas. Maintenant, que s'est-il passé ?

— Il y a quinze jours, un appareil commercial anacréonien a rencontré un vieux croiseur de bataille délabré de l'ancienne flotte impériale. Il devait errer dans l'espace depuis trois siècles. »

Hardin manifesta soudain un vif intérêt. Il se redressa dans son fauteuil. « En effet, j'ai entendu parler de cette affaire. Le Conseil de la Navigation m'a adressé une pétition me demandant de lui remettre cet astronef afin de l'étudier. Il est en bon état, à ce qu'on m'a dit.

— En bien trop bon état, répliqua Verisof. Quand Wienis a appris la semaine dernière que vous comptiez le prier de remettre l'appareil à la Fondation, il a failli en avoir une crise.

— Il ne m'a pas encore répondu.

— Il ne répondra pas... ou seulement à coups de canon ; enfin, c'est ce qu'il croit. Le jour de mon départ d'Anacréon, il est venu me trouver pour demander que la Fondation réarme ce croiseur et le confie à la flotte anacréonienne. Il a eu l'aplomb de me dire que votre note de la semaine précédente laissait supposer que la Fondation avait le projet d'attaquer Anacréon. Il a déclaré qu'un refus ne ferait que confirmer ses soupçons ; et il a ajouté qu'il se verrait alors obligé de prendre des mesures pour assurer la défense de son pays. Ce sont ses propres termes. Et c'est pourquoi je suis ici. »

Hardin se mit à rire silencieusement.

Verisof reprit : « Bien entendu, il s'attend à un refus, ce qui constituerait à ses yeux un excellent prétexte pour attaquer tout de suite.

— Je m'en doute, Verisof. En tout cas, nous avons au moins six mois devant nous : faites donc remettre en état l'appareil et faites-en don à Wienis de ma part. Tenez, rebaptisez-le même le *Wienis*, en gage de notre estime et de notre affection », ajouta-t-il gaiement.

Verisof ne semblait pas partager cette insouciance. « Je

pense, Hardin, que c'est en effet la seule chose à faire... mais je suis un peu inquiet.

— Pourquoi ?

— C'est une machine très perfectionnée ! Ah ! on construisait du bon matériel en ce temps-là ! Son tonnage est égal à la moitié du tonnage total de la flotte anacréonienne. Il a des pièces atomiques capables de réduire une planète en poussière et un écran protecteur capable d'arrêter un faisceau de rayons Q. C'est trop bien pour eux, Hardin...

— Votre raisonnement ne tient pas debout, Verisof. Vous savez comme moi qu'avec les armes dont ils disposent actuellement, ils pourraient s'emparer de Terminus quand ils voudraient, bien avant que nous puissions remettre le croiseur en état pour l'utiliser nous-mêmes. Qu'importe alors si nous faisons cadeau de cet appareil à Wienis ? Vous savez bien qu'il n'ira jamais jusqu'à la guerre ouverte.

— Probablement pas. Mais, Hardin...

— Eh bien ? Qu'est-ce qui vous arrête ? Je vous écoute.

— Cela ne me regarde pas, c'est entendu, mais je viens de lire un article... » Il posa le *Journal* sur le bureau et désigna du doigt la première page. « Qu'est-ce que cela veut dire ? »

Hardin y jeta un rapide coup d'œil.

« UN GROUPE DE CONSEILLERS FORMENT UN NOUVEAU PARTI POLITIQUE », lut-il.

« C'est ce que j'ai vu, fit Verisof. Bien sûr, vous suivez de plus près que moi ces questions de politique intérieure, mais enfin ils multiplient les attaques contre vous. Sont-ils si forts ?

— Terriblement. Ils auront sans doute la majorité au Conseil après les prochaines élections.

— Pas avant ? fit Verisof avec un regard oblique. Il existe d'autres moyens que les élections pour s'assurer la majorité.

— Vous me prenez pour un Wienis ?

— Non, mais la réparation du croiseur va demander des mois, et il est à peu près certain que nous serons attaqués aussitôt après. Si nous cédons, cette concession sera interprétée comme un signe de faiblesse, et ce croiseur viendra pratiquement doubler la puissance de la flotte de Wienis... Il attaquera, aussi sûr que je suis grand prêtre. Pourquoi prendre des risques ? Il n'y a que deux possibilités : ou bien révéler le plan de campagne au Conseil, ou mettre tout de suite Anacréon au pied du mur !

— Mettre Anacréon au pied du mur maintenant ! fit Hardin. Avant qu'éclate la crise ? C'est la seule chose à ne pas faire. Vous oubliez l'existence du plan de Hari Seldon. »

Verisof parut hésiter un moment, puis murmura : « Vous êtes donc absolument sûr qu'il y a un plan ?

— On ne peut guère en douter, répliqua l'autre sèchement. J'ai assisté à l'ouverture du caveau, et l'enregistrement laissé par Seldon était catégorique sur ce point.

— Ce n'est point ce que je voulais dire, Hardin. Je n'arrive pas à comprendre comment on peut prévoir mille ans d'avance le cours de l'histoire. Peut-être Hari Seldon a-t-il surestimé ses capacités. » Et comme Hardin arborait un sourire ironique, il s'empressa d'ajouter : « Oh ! évidemment, je ne suis pas un psychologue.

— Je ne vous le fais pas dire. Et aucun de nous ne l'est. Mais j'ai quelque peu étudié la question quand j'étais jeune ; suffisamment pour savoir quelles possibilités offre la psychologie, même si je ne puis les exploiter moi-même. Il est certain que Seldon a fait exactement ce qu'il prétendait faire. La Fondation constitue bien un refuge scientifique : elle représente le moyen qui permettra de préserver, dans les siècles de barbarie qui commencent, la science et la culture d'un Empire agonisant, et de les ranimer pour donner naissance à un nouvel Empire. »

— Verisof n'avait pas l'air convaincu. « Evidemment, c'est ce que tout le monde affirme. Mais pouvons-nous nous permettre de prendre des risques ? Pouvons-nous engager le présent pour un avenir problématique ?

— Il le faut... parce que cet avenir n'est nullement problématique. Il a été calculé et prévu par Seldon. Chacune des crises successives de notre histoire a été envisagée et chacune dépend dans une certaine mesure de la conclusion apportée aux précédentes. Nous n'en sommes qu'à la seconde crise, et l'Espace sait quel désastreux effet pourrait avoir la plus légère déviation.

— C'est une hypothèse gratuite.

— Mais non ! Hari Seldon a dit dans le caveau qu'à chaque crise, notre liberté d'action serait si faible que nous ne pourrions adopter qu'une solution.

— De façon que nous ne nous écartions pas du droit chemin ?

— De façon à nous empêcher de dévier, oui. Mais, inversement, tant que plusieurs solutions continuent à s'offrir, c'est que la crise n'a pas encore éclaté. Nous devons laisser les événements suivre leurs cours aussi longtemps qu'il est possible et, par l'Espace, c'est bien ce que j'ai l'intention de faire. »

Verisof ne répondit rien. Il se mordillait la lèvre inférieure en silence. Il n'y avait qu'un an que Hardin avait pour la première fois abordé avec lui le problème crucial : celui de faire échec aux préparatifs d'agression d'Anacréon. Et encore, seulement parce que Verisof s'était montré réticent devant la perspective de nouvelles mesures de conciliation.

On aurait dit que Hardin lisait les pensées de son ambassadeur. « J'aurais préféré ne jamais vous parler de tout cela.

— Pourquoi ? s'exclama Verisof.

— Parce que cela fait maintenant six personnes — vous, moi, les trois autres ambassadeurs, et Yohan Lee — qui se doutent de ce qui va se passer ; et je crois bien que Seldon aurait voulu que personne ne fût au courant.

— Comment cela ?

— Parce que, si avancée fût-elle, la psychologie de Seldon avait ses limites. Il ne pouvait l'appliquer à des individus ; pas plus que l'on ne peut appliquer la théorie cinétique des gaz à des molécules isolées. Il travaillait sur des masses, sur les populations de toute une planète, et seulement sur des masses *aveugles* qui ignorent quel sera le résultat de leur comportement.

— Je vous suis mal.

— Je n'y peux rien. Je ne suis pas assez qualifié pour vous donner une explication scientifique. Mais vous savez en tout cas une chose : c'est qu'il n'y a pas un seul psychologue sur Terminus et pas davantage de textes mathématiques concernant la psychohistoire. Seldon ne voulait pas qu'il y ait sur Terminus quelqu'un capable de calculer quel serait l'avenir. Il tenait à ce que notre évolution fût aveugle — et donc soumise aux lois de la psychologie des masses. Comme je vous l'ai déjà dit, je ne savais absolument pas où nous allions quand j'ai expulsé les Anacréoniens. Je voulais seulement pratiquer une politique de bascule. C'est plus tard que j'ai cru discerner dans les événements un fil conducteur ; mais j'ai fait de mon mieux pour n'en pas tenir compte. Toute modification de notre politique en fonction de l'avenir aurait fait échouer le plan. »

Verisof hocha la tête d'un air songeur. « J'ai entendu des raisonnements presque aussi compliqués dans les temples d'Anacréon. Comment comptez-vous reconnaître que le moment sera venu d'agir ?

— Je l'ai déjà reconnu. Vous admettez qu'une fois le croiseur remis en état, rien m'empêchera Wienis de nous attaquer. Il n'y aura plus d'autre solution.

— Oui.

— Bien. Voilà qui règle la question en ce qui concerne la politique étrangère. Vous conviendrez également que les prochaines élections nous donneront un nouveau Conseil qui nous obligera à prendre des mesures contre Anacréon. Là non plus il n'y aura pas d'autre solution.
Là non plus il n'y aura pas d'autre solution.

— C'est exact.

— Eh bien, dès l'instant où il n'y a plus de choix à faire, la crise est là. Malgré cela, je suis un peu inquiet. »

Il se tut et Verisof attendit. Lentement, comme s'il parlait à contrecœur, Hardin reprit :

« J'ai l'idée — oh ! ce n'est qu'une notion vague — que la crise devrait éclater simultanément sur le plan intérieur et sur le plan extérieur. Or, il va y avoir là une différence de quelques mois : Wienis attaquera sans doute avant le printemps, et nous sommes encore à un an des élections.

— Ce n'est pas une différence bien importante.

— Je n'en sais rien. Peut-être est-ce dû seulement à d'inévitables erreurs de calcul, ou bien au fait que j'en savais trop long. Je me suis efforcé de ne jamais laisser mes pressentiments peser sur mes actes, mais comment puis-je être sûr d'avoir réussi ? Et quelles conséquences cela a-t il pu avoir ? Quoi qu'il en soit, j'ai déjà pris une décision.

— Laquelle ?

— Quand la crise éclatera, je pars pour Anacréon. Je veux être sur place... Mais, en voilà assez pour ce soir, Verisof. Il se fait tard. Allons fêter votre retour. J'ai besoin de me détendre.

— Fêtons-le ici alors, dit Verisof. Je ne veux pas qu'on *me* reconnaisse, sinon vous savez ce que diraient les membres de ce fameux nouveau parti. Faites-nous donc servir de l'eau-de-vie. »

Hardin fit apporter de l'eau-de-vie... mais en petite quantité.

III

Jadis, du temps que l'Empire Galactique comprenait toute la Galaxie, et qu'Anacréon était la plus opulente des préfectures de la Périphérie, plus d'un empereur en visite était descendu au palais du vice-roi. Et pas un n'était reparti sans avoir tenté sa chance devant cette forteresse volante à plumes qui s'appelait l'oiseau-nyak.

Avec le temps, la splendeur d'Anacréon s'était éteinte. Le palais du vice-roi n'était plus que ruines, à l'exception de l'aile restaurée par les ouvriers de la Fondation. Et aucun empereur depuis deux cents ans n'avait mis les pieds sur le royaume.

Mais la chasse au nyak demeurait le sport royal et les souverains d'Anacréon se flattaient d'être de fins tireurs au fusil à aiguille.

Lepold Ier, roi d'Anacréon — sur le papier du moins — protecteur des Dominions, avait déjà maintes fois donné la preuve de son habileté. Il n'avait pas treize ans quand il avait abattu son premier nyak ; il avait inscrit le dixième à son tableau de chasse la semaine de son couronnement ; et il venait ce jour-là d'abattre son quarante-sixième.

« J'en aurai tué cinquante avant ma majorité, avait-il proclamé. Qui tient le pari ? »

Mais les courtisans ne parient pas sur l'habileté du roi. Ils ont trop peur de gagner. Personne donc ne releva son défi et le roi s'en fut tout heureux changer de vêtements.

« Lepold ! »

Le roi s'arrêta court en entendant la seule voix à laquelle il obéissait. Il se retourna, le visage maussade.

Wienis, sur le seuil de son appartement, toisait son jeune neveu.

« Renvoie-les, fit-il d'un ton impatient. Débarrasse-toi d'eux. »

Sur un signe de tête du roi, les deux chambellans s'inclinèrent et se retirèrent au pied de l'escalier. Lepold pénétra dans la chambre de son oncle.

Wienis considéra d'un œil désapprobateur le costume de chasse du souverain.

« Bientôt, tu auras des choses plus importantes à faire que chasser le nyak. »

Tournant brusquement le dos, il alla s'asseoir à son bureau. Depuis qu'il était trop vieux pour supporter le vertigineux plongeon en piqué entre les ailes du nyak, et les terribles remous dans lesquels se trouvait pris l'appareil du chasseur, il ne cessait de critiquer ce sport.

Lepold, sachant fort bien ce qu'il en était, ne se fit pas faute de répliquer malicieusement : « Quel dommage que vous n'ayez pas été des nôtres aujourd'hui, mon oncle. Nous avons levé un nyak dans le désert de Samia, un vrai monstre. Et courageux ! Nous l'avons poursuivi deux heures durant. Et puis j'ai pris de la hauteur... » Il mimait les gestes. comme s'il était encore aux commandes de son appareil de chasse. « Et j'ai plongé en piqué. Je l'ai touché juste sous l'aile gauche. Cela l'a rendu furieux et il a fait une glissade de travers. Mais j'ai viré sur la gauche, en attendant que l'aigrette passe dans ma ligne de mire. Il a foncé sur moi. Je n'ai pas bougé et quand il a été à un coup d'ailes de moi...

— Lepold !

— Eh bien... je l'ai eu.

— Je n'en doute pas. Maintenant, veux-tu m'écouter ? »

Le roi haussa les épaules et s'approcha d'une table où se trouvait posé un compotier rempli de noix de Lera. Il se mit à en grignoter sans oser soutenir le regard de son oncle.

« Je suis allé voir le croiseur aujourd'hui, fit Wienis, en guise de préambule.

— Quel croiseur ?

— Il n'y en a qu'un. *Le* croiseur. Celui que la Fondation remet en état pour nous. L'ancien appareil de la flotte impériale. Me suis-je bien fait comprendre ?

— Ah ! celui-là. Vous voyez bien, je vous ai toujours dit que la Fondation le réparerait si nous le demandions. Ils n'ont nullement l'intention de nous attaquer : ce sont des racontars. Car enfin, s'ils en avaient l'intention, pourquoi répareraient-ils le croiseur ? Ça ne tient pas debout, vous savez.

— Lepold, tu es idiot ! »

Le roi, qui s'apprêtait à casser la coque d'une noix, rougit violemment.

« Ecoutez, dit-il, avec une mine d'enfant boudeur, je crois que vous ne devriez pas me parler sur ce ton. Vous vous oubliez. Je suis majeur dans deux mois, vous savez.

— Oui, et tu es vraiment peu qualifié pour assurer les responsabilités du pouvoir. Si tu consacrais aux affaires publiques la moitié du temps que tu passes à chasser le nyak, je renoncerais tout de suite à la régence sans inquiétude.

— Peu m'importe. Cela n'a rien à voir, et vous le savez. Vous avez beau être mon oncle et le régent, je suis quand même le roi, et vous êtes un de mes sujets. Vous ne devriez pas me traiter d'idiot, et d'ailleurs, vous ne devriez pas vous asseoir en ma présence. Vous ne m'en avez pas demandé la permission. Je crois que vous feriez bien de vous surveiller un peu, sinon je pourrais prendre des mesures... »

Wienis ne broncha pas. « Puis-je t'appeler « Votre Majesté » ?

— Oui.

— Très bien ! Alors, Votre Majesté est idiote ! »

Le jeune roi s'assit pesamment, tandis que le régent le contemplait d'un air sardonique. Mais Wienis reprit bientôt une expression sérieuse, et, posant une main sur l'épaule de son neveu, il dit :

« Tu as raison, Lepold, je n'aurais pas dû te parler si durement. On a parfois du mal à se dominer, quand la pression des événements est telle... Tu comprends ? » Mais, si le ton s'était fait conciliant, le regard était toujours aussi cruel.

« Oui, fit Lepold. d'une voix mal assurée. Je sais ; c'est bien compliqué, la politique. » Il se demanda, non sans appréhension, s'il n'allait pas devoir subir un compte rendu détaillé des relations commerciales avec Smyrno au cours de l'année écoulée, ou un énoncé fastidieux des revendications d'Anacréon sur les mondes à peine colonisés du Corridor Rouge.

Mais déjà Wienis disait : « Mon garçon, je pensais te parler de cette question plus tôt, et peut-être aurais-je dû le faire, mais je sais que ta jeunesse s'accommode mal de l'aridité des problèmes d'Etat. Toutefois, tu vas être majeur dans deux mois. Et, dans les circonstances difficiles que nous traversons, il faudra que tu prennes aussitôt une part active au gouvernement. Tu vas régner, Lepold. »

Lepold acquiesça, mais ne parut nullement ému.

« Nous allons être en guerre, Lepold.

— En guerre ! Mais nous venons de conclure un traité avec Smyrno...

— Il ne s'agit pas de Smyrno, mais de la Fondation.

— Voyons, mon oncle, ils ont accepté de réparer le croiseur. Vous venez de dire...

— Lepold, l'interrompit Wienis d'un ton sec, nous allons parler d'homme à homme. Nous allons entrer en guerre avec la Fondation, que le croiseur soit ou non remis en état ; et d'autant plus tôt, même, qu'il est en cours de réparation. La Fondation est la source de toute puissance, de toute autorité. La grandeur d'Anacréon, ses astronefs, ses villes, ses habitants, son commerce dépendent des bribes de pouvoir que la Fondation nous dispense avec parcimonie. Je me souviens du temps où les cités d'Anacréon se chauffaient au charbon et au mazout. Mais peu importe ; tu ne sais pas de quoi je parle.

— Il me semble, fit timidement le roi, que nous devrions leur être reconnaissants...

— Reconnaissants ? gronda Wienis. Reconnaissants de nous distribuer quelques miettes, alors qu'ils gardent pour eux l'Espace sait quoi... et qu'ils le gardent dans quel but ? Avec l'intention assurément de régner un jour sur toute la Galaxie. »

Il posa une main sur le genou de son neveu et reprit avec force : « Lepold, tu es roi d'Anacréon. Tes enfants et les enfants de tes enfants peuvent être les rois de l'univers, si tu t'empares du pouvoir que détient la Fondation !

— C'est vrai, ce que vous dites ! » Lepold commençait à s'animer. « Après tout, quel droit ont-ils de garder pour eux leur science ? C'est injuste, au fond. Anacréon représente tout de même quelque chose.

— Tu vois, tu commences à comprendre. Et maintenant, mon garçon, que se passerait-il si Smyrno décidait d'attaquer la Fondation afin de prendre le pouvoir pour elle-même ? Combien de temps s'écoulerait-il, à ton avis, avant que nous devenions une puissance vassale ? Combien de temps garderais-tu ton trône ?

— Par l'Espace, c'est vrai, ça ! Vous avez raison. Nous devons frapper les premiers. C'est notre intérêt le plus évident. »

Un sourire s'épanouit sur le visage de Wienis. « D'ailleurs, autrefois, dans les premières années du règne de ton grand-père, Anacréon avait établi une base militaire sur Terminus, une base d'une importance stratégique considérable. Nous avons été contraints d'abandonner cette base, à la suite des machinations du chef de la Fondation, une rusée canaille, un savant sans une goutte de sang noble dans les veines. Tu entends, Lepold ? Ton grand-père a été humilié par cet homme du commun. Je me souviens très bien de lui. Il avait à peu près mon âge quand il est venu ici avec son sourire et ses combinaisons diaboliques... et aussi la puissance des trois autres Royaumes derrière lui. »

Lepold rougit et son regard flamboya. « Par Seldon, si

j'avais été mon grand-père, je me serais battu quand même.

— Non, Lepold. Nous avons décidé d'attendre, de laver l'injure quand une meilleure occasion se présenterait. Ton père avait toujours espéré que cet honneur lui reviendrait, mais une mort prématurée... Hélas ! » Wienis détourna la tête, puis reprit, comme s'il maîtrisait son émotion : « C'était mon frère. Mais si son fils...

— N'ayez crainte, mon oncle, je ne faillirai pas à mon devoir. Ma décision est prise. Il faut qu'Anacréon extermine ce nid de vipères et sans perdre de temps.

— Pas si vite, mon neveu. Il faut d'abord attendre que soient terminées les réparations sur le croiseur de bataille. Le simple fait qu'ils acceptent d'entreprendre pour nous cette réfection prouve qu'ils nous craignent. Ces imbéciles cherchent à nous apaiser, mais rien ne nous fera changer d'avis, n'est-ce pas ? »

Le poing de Lepold s'abattit violemment sur le bureau. « Pas tant que je régnerai sur Anacréon.

— D'ailleurs, dit Wienis d'un ton sarcastique, nous devons attendre l'arrivée de Salvor Hardin.

— Salvor Hardin ! » Le roi ouvrit de grands yeux.

« Oui, Lepold, le chef de la Fondation vient en personne à l'occasion de ton anniversaire... pour nous prodiguer sans doute des paroles mielleuses. Mais cela ne lui sera d'aucune utilité.

— Salvor Hardin ! » murmura le jeune roi.

Wienis prit un air sévère. « Son nom te ferait-il peur ? C'est ce même Salvor Hardin qui, lors de sa dernière visite, nous a si bien humiliés. Tu n'oublies pas, j'espère, cette impardonnable insulte à notre maison ? Et venant d'un homme du commun. D'un plat roturier.

— Non, non, bien sûr. Je n'oublie pas... Nous lui rendrons la monnaie de sa pièce... mais, j'ai un peu peur. »

Le régent se leva. « Peur ? De quoi ? De quoi, pauvre... » Il se contint à grand-peine.

« Ce serait... il me semble que ce serait une sorte de... blasphème, vous savez, d'attaquer la Fondation. Je veux dire...

— Je t'écoute.

— Eh bien, bredouilla Lepold, s'il existe vraiment un Esprit Galactique, il... heu... enfin, cela lui déplairait peut-être. Vous ne croyez pas ?

— Non, je ne crois pas », répliqua sèchement Wienis. Il s'assit et considéra son neveu d'un air apitoyé et amusé. « Parce que tu t'inquiètes vraiment de ce que pourrait penser l'Esprit Galactique ? Voilà ce que c'est que de te laisser la bride sur le cou. Tu as vu souvent Verisof, je parie.

— Il m'a expliqué des tas de choses...

— A propos de l'Esprit Galactique ?

— Oui.

— Mais, pauvre innocent, il croit à toutes ces histoires encore moins que moi, et je n'y crois absolument pas. Combien de fois t'ai-je dit que tout cela ne rimait à rien ?

— Je sais, je sais. Mais Verisof...

— Je me fiche de Verisof. Ce ne sont que des mots. »

Il y eut un bref silence, puis Lepold déclara d'un ton lourd de réprobation : « N'empêche que tout le monde croit au fait que le prophète Hari Seldon a créé la Fondation pour mettre en pratique ses commandements et pour qu'un jour le monde puisse retrouver le Paradis Terrestre ; et aussi que quiconque désobéit à ses commandements sera anéanti pour l'éternité. Les gens y croient. J'ai présidé des cérémonies, je l'ai bien vu.

— Les gens, oui, mais pas nous. Et tu peux être heureux qu'ils y croient, car, selon cette doctrine de charlatans, tu es roi de droit divin, et tu es toi-même un demi-dieu. C'est bien commode. Cela supprime toute possibilité de révolte et t'assure une autorité absolue. C'est pourquoi, Lepold, tu dois ordonner toi-même la guerre contre la Fondation. Je ne suis que le régent et un humain comme les autres. Toi, tu es roi et plus qu'à demi divin... pour eux.

— Mais je ne le suis pas vraiment, n'est-ce pas ? fit le roi, d'un ton songeur.

— Non, pas vraiment, répondit Wienis, mais tu l'es pour tout le monde, sauf pour les membres de la Fondation. Tu comprends ? Tout le monde sauf les gens de la Fondation. Quand tu te seras débarrassé d'eux, plus personne ne contestera ta divinité. Penses-y un peu !

— Et après, nous pourrons nous servir tout seuls des boîtes à énergie, des temples, des engins qui volent sans équipage, et du pain sacré qui guérit le cancer et les autres maladies ? Verisof disait que seuls ceux qui ont reçu la bénédiction de l'Esprit Galactique pouvaient...

— C'est ce que dit Verisof ! Mais Verisof est ton pire ennemi après Salvor Hardin. Suis mes conseils, Lepold, et ne t'occupe pas d'eux. A nous deux, nous recréerons un empire... pas seulement le royaume d'Anacréon... mais un empire comprenant les milliards de soleils de la Galaxie. Cela ne vaut-il pas mieux qu'un soi-disant Paradis Terrestre ?

— S-si.

— Très bien. Je suppose, ajouta-t-il d'un ton péremptoire, que nous pouvons considérer la question comme réglée. Va. Je te rejoins. Ah ! encore une chose, Lepold. »

Le jeune roi s'arrêta sur le seuil.

« Prends garde quand tu chasses le nyak, mon garçon. Depuis le malheureux accident dont ton père a été victime, j'ai parfois les plus sinistres pressentiments. Dans l'ardeur de la chasse, quand les aiguilles des fusils sillonnent le ciel, on ne sait pas ce qui peut arriver. J'espère que tu es prudent. Et tu feras ce que je t'ai dit à propos de la Fondation, n'est-ce pas ?

— Mais oui... certainement.

— Bon ! » Il suivit des yeux son neveu qui s'éloignait dans le couloir, puis revint à son bureau.

Les pensées de Lepold, tandis qu'il regagnait ses appartements, étaient sombres. Peut-être en effet valait-il mieux battre la Fondation et acquérir le pouvoir dont parlait Wienis. Mais une fois que la guerre serait finie et qu'il aurait affermi sa position... Il songea soudain que Wienis et ses deux vantards de fils étaient maintenant ses héritiers directs.

Mais il était roi. Et les rois pouvaient faire exécuter les gens.

Même leurs oncles et leurs cousins.

IV

Après Sermak, Lewis Bort était celui qui s'occupait le plus ardemment à rallier les éléments dissidents qui venaient grossir les rangs du Parti de l'Action. Il ne faisait pourtant pas partie de la délégation venue trouver Salvor Hardin six mois plus tôt. Non que l'on méconnût ses efforts : bien au contraire. Son absence était seulement due à l'excellente raison qu'il séjournait à l'époque dans la capitale d'Anacréon.

Il s'était rendu là-bas à titre privé. Il ne vit aucun personnage officiel et ne fit rien d'important. Il se contenta de visiter les recoins obscurs de la planète et de fureter ici et là.

Il rentra vers la fin d'une journée d'hiver qui s'achevait sous la neige et, une heure plus tard, il était assis devant la table octogonale du bureau de Sermak.

Ses premières paroles n'étaient guère de nature à ragaillardir des gens déjà déprimés par ce crépuscule grisâtre.

« J'ai bien peur, dit-il, que nous défendions ce qu'on appelle en termes mélodramatiques une « cause perdue ».

— Vous croyez ? fit Sermak.

— C'est-à-dire, Sermak, qu'il n'est décemment pas possible d'avoir une autre opinion.

— Mais l'armement... » commença Dokor Walto.

Bort l'interrompit aussitôt. « C'est de l'histoire ancienne. Je parle du peuple. Je vous avouerai que ma première idée était de fomenter une sorte de révolution de palais et de faire monter sur le trône un roi plus favorable à la Fondation. L'idée était bonne, elle l'est encore. Malheureusement, elle est impossible à réaliser. Le grand Salvor Hardin a pensé à tout.

— Si vous nous donniez quelques détails, Bort, suggéra Sermak.

— Des détails ! Oh ! c'est bien simple ! Tout tient à la

situation actuelle sur Anacréon. Cette religion instituée par la Fondation, vous savez ? Eh bien, elle a pris !

— Et alors ?

— Il faut le voir pour y croire. Ici, nous n'avons qu'une grande école où sont nés les prêtres, et, de temps en temps, on organise une petite cérémonie dans un quartier discret pour les pèlerins... c'est tout. Cela n'affecte en rien notre vie quotidienne. Tandis que sur Anacréon... »

Lem Tarki lissa d'un doigt sa fine moustache et s'éclaircit la voix : « Quel est le principe de cette religion ? Hardin nous a toujours dit qu'il ne s'agissait que d'un ramassis de momeries destinées à leur faire accepter sans discussion notre science. Vous vous souvenez, Sermak...

— Les explications de Hardin, lui rappela Sermak, ne doivent généralement pas être prises pour argent comptant. Mais, dites-nous, Bort, de quelle religion s'agit-il en fait ?

— Du point de vue de l'éthique, expliqua Bort, il n'y a rien à dire. On retrouve à peu près la philosophie des religions impériales. De hauts principes moraux *et cœtera*. C'est parfait : la religion est une des grandes forces civilisatrices de l'histoire et, à cet égard...

— Nous le savons, dit Sermak impatient. Venez-en au fait.

— Eh bien, voilà. Cette religion-ci — patronnée et encouragée par la Fondation, ne l'oubliez pas — est de nature strictement autoritaire. Le clergé a le contrôle exclusif de l'équipement scientifique que nous avons remis à Anacréon, mais les prêtres n'ont de ce matériel qu'une connaissance empirique. Ils croient... heu... à la valeur spirituelle de l'énergie qu'ils contrôlent. Il y a deux mois, par exemple, un imbécile a saboté l'installation atomique du Temple Thessalien, une des plus importantes de la planète. Il a fait sauter cinq pâtés de maisons. Eh bien, tout le monde, y compris les prêtres, a considéré cela comme une vengeance divine.

— Je m'en souviens. Les journaux en ont parlé. Mais je ne vois pas où vous voulez en venir.

— Alors, écoutez ceci, fit Bort sèchement. Le clergé forme une hiérarchie au sommet de laquelle se trouve le roi, que l'on tient pour une sorte de petit dieu. C'est un monarque absolu de droit divin, et les gens y croient dur comme fer, ainsi que les prêtres. On ne peut pas renverser un tel souverain. Vous comprenez maintenant mon pessimisme ?

— Attendez, intervint Walto. Que vouliez-vous dire quand vous avez déclaré que c'était l'œuvre de Hardin ? Quel rôle joue-t-il là-dedans ? »

Bort considéra son interlocuteur d'un œil apitoyé.

« La Fondation a tout fait pour entretenir les gens dans leur illusion. Nous avons donné à ce charlatanisme tout l'appui de nos connaissances scientifiques. Il n'y a pas une cérémonie présidée par le roi où celui-ci ne soit pas entouré d'un hâlo radioactif qui brûle gravement quiconque tente de le toucher. Il peut se déplacer au-dessus du sol aux moments cruciaux, quand il est soi-disant visité par l'inspiration divine. D'un geste, il inonde le temple d'une lumière diffuse et iridescente. Je ne saurais citer tous les tours que nous accomplissons pour lui ; mais même les prêtres, qui en sont les auteurs, croient à leur caractère surnaturel.

— Bigre ! dit Sermak.

— J'étais fou de rage, reprit Bort, en pensant à la chance que nous avons gâchée. Songez un peu à ce qu'était la situation voilà trente ans, quand Hardin a sauvé la Fondation des griffes d'Anacréon. A cette époque, les Anacréoniens ne se rendaient pas compte que l'Empire était en pleine décadence. Ils jouissaient certes d'une certaine autonomie depuis la révolte de Zéon, mais même quand les communications ont été rompues et que le grand-père de Lepold s'est proclamé roi, ils n'avaient pas encore compris que l'Empire était fichu.

« Si l'empereur avait eu le cran d'essayer, il aurait pu rétablir sa suzeraineté sur Anacréon en y envoyant deux croiseurs et en profitant de la guerre civile qui n'aurait pas manqué d'éclater. Nous aurions pu, nous, le faire à sa place ; mais non, il a fallu que Hardin institue ce culte du souverain. Pour ma part, je ne comprends pas ses raisons.

— Que fait Verisof ? demanda soudain Jaim Orsy. Je l'ai connu actionniste acharné. Que fait-il là-bas ? Il est donc aveugle, lui aussi ?

— Je ne sais pas, réplique Bort. A leurs yeux, il est le

grand prêtre. Pour autant que je sache, il joue le rôle de conseiller technique auprès du clergé. »

Dans le silence qui suivit, tous les regards se tournèrent vers Sermak. Le jeune leader se mordillait nerveusement un ongle. « Tout cela est bien louche, finit-il par dire. Je ne peux pas croire que Hardin soit aussi bête !

— Il a les apparences contre lui, fit Bort.

— Ce n'est pas possible. Il faudrait une dose colossale de stupidité pour se livrer ainsi pieds et poings liés à l'adversaire. Et je ne crois pas que Hardin soit stupide. Cependant, établir une religion qui supprime toute possibilité de troubles intérieurs, et d'autre part armer Anacréon de pied en cap ! Vraiment, je ne comprends pas.

— Je conviens que c'est assez étrange, dit Bort, mais les faits sont là. Et que pouvons-nous en déduire d'autre ?

— Il trahit, tout simplement, lança Walto. Il est à la solde d'Anacréon. »

Mais Sermak secoua la tête. « Je ne le crois pas non plus. Toute cette affaire est absurde... Dites-moi, Bort, avez-vous entendu parler d'un croiseur de bataille que la Fondation est censée avoir remis en état pour la flotte d'Anacréon ?

— Un croiseur de bataille ?

— Une ancienne unité de la flotte impériale.

— Non. Mais mon ignorance n'a rien de surprenant. Les chantiers de constructions navales sont des sanctuaires où le public n'a pas le droit de pénétrer. Personne n'est jamais informé de ce qui touche à la flotte.

— Quoi qu'il en soit, il y a eu les fuites. Certains membres du parti ont évoqué la question devant le Conseil. Hardin n'a jamais nié. Ses porte-parole ont dénoncé les auteurs de rumeurs, et les choses en sont restées là. Qu'en pensez-vous ?

— Tout cela tient, dit Bort. Si c'est vrai, c'est de la folie pure. Mais ça n'est pas pire que le reste.

— Peut-être, dit Orsy, Hardin a-t-il en réserve une arme secrète. Dans ce cas...

— Oui, fit Sermak, railleur, un diable à ressort qui sortira de sa boîte au bon moment pour effrayer le vieux Wienis. La Fondation ferait aussi bien de se faire sauter tout de suite : cela lui épargnerait une longue agonie, si c'est sur une arme secrète que nous devons compter.

— Alors, dit Orsy, s'empressant de changer de sujet, le problème se ramène à ceci : combien de temps nous reste-t-il ? Hein, Bort, que vous en semble ?

— D'accord, c'est à cela que se ramène le problème. Mais ne me regardez pas comme ça : je n'en sais rien. La presse anacréonienne ne contient jamais aucune allusion à la Fondation. Il n'est question pour le moment que des fêtes qui approchent. Vous savez que Lepold atteint sa majorité la semaine prochaine.

— Nous avons des mois devant nous, alors, dit Walto, souriant pour la première fois de la soirée. Cela devrait être suffisant pour...

— Pensez-vous ! fit Bort. Le roi est un dieu, je vous le répète. Vous vous imaginez peut-être qu'il aurait besoin de mener toute une campagne de propagande pour préparer son peuple à se battre ? Vous croyez qu'il sera forcé de nous accuser d'agression et de recourir à tous les trucs usés de la diplomatie ? Quand le moment de frapper sera venu, Lepold n'aura qu'à donner un ordre et ses sujets se battront. Tout simplement. C'est ce qu'il y a de terrible avec leur système. On ne met pas en doute les ordres d'un dieu. L'envie peut aussi bien le prendre de commencer demain, comment voulez-vous le prévoir ? »

Tout le monde prit la parole à la fois, et Sermak frappait sur la table pour réclamer le silence, quand la porte de la rue s'ouvrit, livrant passage à Levi Norast. Celui-ci monta les marches quatre à quatre, sans même ôter son manteau couvert de neige.

« Regardez-moi ça ! cria-t-il en lançant sur la table un journal tout mouillé. Et les visiphones annoncent la nouvelle.

— Par l'Espace, murmura Sermak, il va sur Anacréon ! *Il va sur Anacréon !*

— Cette fois, c'est la trahison, cria Tarki. Walto a raison. Il nous a vendus et maintenant il va toucher le prix de sa trahison. »

Sermak s'était levé. « Nous n'avons plus le choix. Je vais

demander demain au Conseil de mettre Hardin en accusation. Et si cela ne marche pas... »

V

La neige ne tombait plus, mais elle couvrait le sol d'une épaisse couche blanche et l'automobile peinait dans les rues désertes. La lumière pâle de l'aube jetait sur le décor une lueur sinistre, et personne, qu'il fût actionniste ou pro-Hardin, n'était encore assez courageux pour circuler dans la ville.

Yohan Lee n'avait pas l'air content et il ne tarda pas à exprimer sa désapprobation. « Ça va faire mauvais effet, Hardin. On va dire que vous avez pris la fuite.

— Qu'ils disent ce qu'ils veulent. Il faut que j'aille sur Anacréon, et je veux pouvoir le faire tranquillement. »

Hardin se renversa sur la banquette en frissonnant. Il ne faisait pourtant pas froid dans la voiture chauffée, mais même à travers la vitre, ce paysage neigeux vous glaçait le cœur.

« Un de ces jours, il faudra climatiser Terminus, dit-il d'un ton songeur. C'est faisable.

— Il y a d'autres choses faisables, riposta Lee, que j'aimerais voir accomplies d'abord. La climatisation de Sermak, par exemple. Une jolie petite cellule bien sèche, où il fait vingt-cinq degrés tout au long de l'année, voilà ce qu'il lui faudrait.

— Et puis, continua Hardin, il me faudrait une armée de gardes du corps, et pas seulement ces deux-là. » Du geste il désigna les deux hommes assis devant, auprès du chauffeur, les yeux braqués sur la chaussée déserte, leurs projecteurs atomiques sur les genoux. « On dirait que vous tenez vraiment à faire éclater la guerre civile.

— Moi ? Pas besoin de moi, pour cela, je vous assure. Il y a d'abord Sermak : il fallait l'entendre hier pendant la séance du Conseil demander votre mise en accusation pour haute trahison.

— C'était son droit, répondit Hardin, sans se démonter. D'ailleurs, sa proposition a été repoussée par 206 voix contre 184.

— Oui, une majorité de vingt-deux voix, alors que nous avions compté sur un minimum de soixante. Ne dites pas le contraire.

— C'était juste, en effet, répondit Hardin.

— Bon. *Secundo :* après le vote, les cinquante-neuf membres du parti actionniste se sont levés et sont sortis de la salle des séances en claquant la porte. »

Hardin se tut et Lee poursuivit : « *Tertio :* avant de partir, Sermak a crié que vous étiez un traître, que vous alliez sur Anacréon chercher vos trente deniers, que la majorité du Conseil, en refusant de voter la mise en accusation, s'était rendue coupable de complicité de trahison et que leur parti ne s'appelait pas pour rien le Parti de l'Action. Que pensez-vous de tout cela ?

— Que ça va mal.

— Et voilà maintenant que vous partez à l'aube, comme un criminel. Vous devriez faire face, Hardin, et au besoin proclamer la loi martiale, par l'Espace !

— La violence est le dernier refuge...

— ... de l'incompétence. Je sais !

— Parfait. Nous verrons. Maintenant, Lee, écoutez-moi bien. Il y a trente ans, pour le cinquantième anniversaire du début de la Fondation, le caveau a été ouvert et nous avons entendu un enregistrement de Hari Seldon qui nous a quelque peu éclairci les idées.

— Je me souviens, dit Lee en souriant, c'est le jour où nous avons pris le pouvoir.

— Parfaitement. C'était notre première crise. Voici que se présente la seconde... et dans trois semaines, nous allons célébrer le quatre-vingtième anniversaire de la Fondation. Cette coïncidence ne vous semble-t-elle pas frappante ?

— Vous voulez dire que Seldon va revenir ?

— Attendez. Seldon n'a jamais parlé de revenir, bien entendu, mais cela ne doit pas nous étonner. Il a toujours fait de son mieux pour que nous se sachions rien. Nous ne pouvons donc pas savoir si l'horloge à radium va déclencher une seconde ouverture du caveau. A chaque anniversaire de la Fondation, j'y suis allé, à tout hasard, mais Seldon n'a jamais fait une nouvelle apparition ; seulement, cette fois, nous traversons encore une crise, alors que nous n'en avions pas eu entre-temps.

— Alors, il va parler ?

— Peut-être. Je ne sais pas. Quoi qu'il en soit, voici ce que vous allez faire. Cet après-midi, à la séance du Conseil, quand vous aurez dévoilé mon départ pour Anacréon, vous annoncerez en outre officiellement que, le 14 mars prochain, nous entendrons un nouvel enregistrement laissé par Hari Seldon et contenant un message de la plus haute importance, se rapportant à la crise qui aura été victorieusement résolue. Et prenez garde, Lee, de rien ajouter, quelles que soient les questions dont on vous assaille »

Lee le considérait avec des yeux ronds. «Vont-ils y croire ?

— Peu importe. Cela les embarrassera, et je n'en demande pas davantage. Ils se demanderont si c'est vrai ou, dans le cas contraire, quel était mon propos en lançant cette nouvelle : et ils décideront de ne rien faire avant le 14 mars. Je serai de retour bien avant cette date. »

Lee n'avait pas l'air convaincu. « Mais dire que la crise sera « victorieusement résolue ». C'est du bluff !

— Oui, mais un bluff qui les démontera complètement. Ah ! nous voici arrivés ! »

On apercevait dans le petit jour la masse sombre de l'astronef. Hardin s'avança jusqu'à l'appareil et, sur le seuil de la porte étanche, se retourna. « Au revoir, Lee. Je suis navré de vous laisser dans le pétrin comme ça, mais vous êtes le seul à qui je puisse me fier. Soyez prudent.

— Ne vous inquiétez pas. Je me débrouillerai. Je suivrai vos instructions. » Il s'écarta, et la porte étanche se referma.

VI

Salvor Hardin ne se rendit pas directement sur Anacréon. Il n'y arriva que la veille du couronnement, après quelques visites éclair dans huit des principaux systèmes stellaires du royaume, où il ne s'arrêta que le temps de conférer brièvement avec les représentants de la Fondation.

Au terme de ce voyage, il demeurait écrasé par l'immensité du royaume. Ce n'était qu'un grain de poussière auprès de cet Empire Galactique dont il avait jadis fait partie ; mais pour quelqu'un qui était habitué à ne penser qu'à l'échelle d'une planète, et d'une planète faiblement peuplée, Anacréon surprenait par son étendue et par le chiffre de sa population.

Suivant à peu près les limites de l'ancienne préfecture d'Anacréon, le royaume comprenait vingt-cinq systèmes stellaires, dont six comportant plus d'un monde habitable. Avec dix-neuf milliards d'habitants, la population était encore très inférieure à ce qu'elle était du temps de l'apogée de l'Empire, mais elle croissait rapidement grâce au développement scientifique patronné par la Fondation.

Hardin se rendit pleinement compte de l'ampleur de la tâche qui restait à accomplir. Au bout de trente ans, seule la planète capitale bénéficiait de l'énergie atomique. Il y avait, dans les lointaines provinces, de vastes étendues où l'on n'employait pas encore l'énergie nucléaire. Et tous les progrès réalisés n'avaient été possibles que parce que demeuraient en place les ruines de l'Empire décadent.

Quand Hardin arriva sur Anacréon, ce fut pour trouver la vie normale totalement arrêtée. Il avait bien été témoin de quelques festivités dans les provinces ; mais, ici, tous les habitants sans distinction prenaient une part active au foisonnement de cérémonies religieuses préludant à la majorité du roi-dieu, Lepold.

C'est à peine si Hardin avait pu avoir avec Verisof un entretien d'une demi-heure, avant que son ambassadeur, épuisé, ne fût appelé d'urgence pour présider une nouvelle cérémonie. Cette demi-heure ne fut toutefois pas perdue, et Hardin s'en alla, fort satisfait, se préparer pour les fêtes nocturnes.

Il se contentait du rôle d'observateur, car il ne se sentait pas le courage d'affronter les obligations religieuses qui ne manqueraient pas de déferler sur lui si l'on découvrait son identité. Aussi, quand la salle de bal du palais se trouva envahie par la foule des plus hauts dignitaires, demeura-t-il dans l'embrasure d'une fenêtre, où l'on ne remarquait guère sa présence.

Il avait été présenté à Lepold, au milieu d'une longue file de courtisans et à bonne distance, car le roi était entouré par un redoutable halo radioactif. Dans moins d'une heure, ce même roi allait prendre place sur son trône de rhodium massif enchâssé de joyaux ; celui-ci s'élèverait majestueusement dans les airs avec son auguste charge et glisserait jusqu'au balcon, au pied duquel la foule massée acclamerait jusqu'à l'apoplexie son souverain. La présence d'un moteur atomique encastré dans la masse expliquait les dimensions inusitées du trône.

Il était onze heures passées. Hardin se dressa sur la pointe des pieds pour mieux voir. Il réprima son envie de monter sur une chaise. Puis il aperçut Wienis qui se dirigeait vers lui et il se calma.

Wienis progressait lentement parmi la cohue. A chaque pas, il lui fallait dispenser quelque mot aimable à un noble seigneur dont le vénérable grand-père avait aidé le grand-père de Lepold à s'emparer du royaume.

S'étant débarrassé du dernier pair, il parvint auprès de Hardin. Son sourire se fit plus narquois et une lueur de satisfaction brilla soudain au fond de ses yeux sombres.

« Mon cher Hardin, dit-il à voix basse, vous devez bien vous ennuyer, à vouloir garder ainsi votre incognito.

— Je ne m'ennuie pas, Votre Altesse. Tout ce spectacle est extrêmement intéressant. Nous ne voyons jamais rien de comparable sur Terminus.

— Je n'en doute pas. Mais ne voulez-vous pas que nous passions dans mes appartements où nous serons plus à l'aise pour bavarder ?

— Bien volontiers. »

Bras dessus bras dessous, les deux hommes grimpèrent l'escalier, et plus d'une duchesse brandit son face-à-main d'un air surpris, en se demandant qui pouvait être cet étranger à l'air insignifiant et au costume si neutre, que le prince régent honorait d'une pareille marque d'estime.

Dans le cabinet de Wienis, Hardin s'installa confortablement et accepta le verre de liqueur que lui offrait son hôte.

« Du Locris, Hardin, dit-il, des caves royales. Un grand cru : il a deux cents ans. Il a été mis en bouteille dix ans avant la révolte de Zéon.

— Un vrai breuvage de roi, fit Hardin poliment. A Lepold Ier, roi d'Anacréon. »

Ils trinquèrent, et Wienis ajouta négligemment : « Et bientôt empereur de la Périphérie. Et peut-être — qui sait — la Galaxie se trouvera-t-elle un jour de nouveau unie sous un seul sceptre ?

— Je n'en doute pas. Le sceptre d'Anacréon ?

— Pourquoi pas ? Avec l'aide de la Fondation, notre supériorité scientifique sur le reste de la Périphérie serait indiscutable. »

Hardin reposa son verre et dit : « Certes, à cela près que la Fondation se doit d'assister toute nation qui a besoin d'une aide scientifique. Etant donné le haut idéalisme qui anime notre gouvernement et le noble but que nous a fixé notre maître, Hari Seldon, nous ne pouvons favoriser personne aux dépens des autres. C'est impossible, Votre Altesse. »

Le sourire de Wienis s'élargit. « Si je puis reprendre un dicton populaire, dit-il, aide-toi, l'Esprit Galactique t'aidera. Je comprends parfaitement que, de son propre chef, la Fondation n'accepterait jamais pareille coopération.

— Je ne suis pas de votre avis. Nous avons remis en état pour vous le croiseur impérial, alors que mon Conseil de la Navigation désirait le garder à des fins de recherche scientifique.

— De recherche scientifique ! répéta le régent, d'un ton plein d'ironie. Mais comment donc ! Et pourtant, vous ne l'auriez pas réparé, si je ne vous avais menacé d'une guerre.

— Je ne sais pas, fit Hardin.

— Moi, je sais. Et cette menace est toujours là.

— Vous voulez dire : encore aujourd'hui ?

— En fait, il est un peu tard pour continuer à parler de menace », dit Wienis après avoir jeté un rapide coup d'œil à la pendule posée sur le bureau. « Voyons, Hardin, vous êtes déjà venu une fois sur Anacréon. Vous étiez jeune en ce temps-là ; moi aussi. Mais déjà nous avions sur toute chose des opinions radicalement différentes. Vous êtes ce qu'on appelle un pacifiste, n'est-ce pas ?

— Je crois que oui. Je considère en tout cas la violence comme un moyen peu économique de parvenir à ses fins. Il y a toujours de meilleures méthodes, encore qu'elles soient parfois moins directes.

— Oui, je connais votre fameuse maxime : « La violence est le dernier refuge de l'incompétence. » Et pourtant, reprit le régent en se grattant négligemment l'oreille, je ne me crois pas particulièrement incompétent. »

Hardin acquiesça poliment sans rien dire.

« Et malgré cela, dit Wienis, j'ai toujours été partisan de l'action directe. J'ai toujours pensé qu'il valait mieux se tailler un chemin jusqu'à l'objectif à atteindre et n'en pas démordre. Je suis parvenu par cette méthode à de grands résultats et je compte en obtenir de plus grands encore.

— Je sais, interrompit Hardin. Je crois que vous vous taillez en effet un chemin vers le trône pour vous et vos enfants, étant donné le regrettable décès de votre frère aîné et la santé précaire du roi. Car il a une santé assez précaire, n'est-ce pas ? »

Wienis fronça les sourcils en recevant cette flèche du Parthe, et sa voix se fit plus cinglante. « Vous auriez intérêt, Hardin, à éviter certains sujets de conversation. Vous pouvez vous estimer le droit, en tant que Maire de Terminus, de vous livrer à des remarques peu judicieuses, mais je vous prierai de ne pas abuser de ce privilège. Je ne suis pas homme à me laisser effrayer par des mots. J'ai toujours professé que les difficultés s'évanouissent quand on les affronte bravement, et je n'ai jamais encore tourné le dos.

— Vous ne me surprenez pas. Quelle difficulté vous proposez-vous d'affronter maintenant ?

— Je me propose de persuader la Fondation de coopérer avec nous. Votre politique pacifiste vous a amené à commettre un certain nombre de très graves erreurs, simplement parce que vous avez sous-estimé l'audace de votre adversaire. Tout le monde n'a pas aussi peur que vous de l'action directe.

— Et quelles ont été ces graves erreurs que j'ai commises ? demanda Hardin.

— Entre autres, vous êtes venu sur Anacréon sans escorte et vous m'avez accompagné dans mon appartement sans escorte.

— Et quel mal y a-t-il à cela ? » Hardin jeta autour de lui un regard curieux.

« Aucun, dit le régent, sinon que derrière cette porte sont postés cinq gardes armés et prêts à tirer. Je ne crois pas que vous puissiez partir, Hardin. »

Le Maire haussa les sourcils. « Je n'en ai aucune envie pour l'instant. Vous me craignez donc tant ?

— Je ne vous crains absolument pas. Mais cette mesure vous montrera peut-être que je suis fermement décidé. Appelons cela un geste, si vous voulez.

— Appelez cela comme bon vous semble, dit Hardin. Je n'entends pas me laisser impressionner par cet incident, quel que soit le nom que vous choisissiez de lui donner.

— Je suis sûr que votre attitude va changer avec le temps. Mais vous avez fait une autre erreur, Hardin, et plus grave, celle-là. Votre planète Terminus est à peu près sans défense.

— Naturellement. Qu'avons-nous à craindre ? Nous ne menaçons personne et nous aidons chacun selon ses besoins.

— Et tout en restant désarmés, continua Wienis, vous avez eu la bonté de nous aider à constituer une flotte. Une flotte qui, depuis que vous nous avez fait don du croiseur impérial, est irrésistible.

— Votre Altesse, vous perdez votre temps, dit Hardin en faisant mine de se lever. Si vous avez l'intention de déclarer la guerre et que vous m'annoncez cette intention, veuillez m'autoriser à communiquer aussitôt avec mon gouvernement.

— Asseyez-vous, Hardin. Je ne déclare pas la guerre et vous n'allez pas communiquer avec votre gouvernement. Quand nous ouvrirons les hostilités — vous entendez, Hardin, je n'ai pas dit quand nous déclarerons la guerre — la Fondation en sera informée par les projectiles atomiques que déverseront sur elle les unités de la flotte anacréonienne, sous le commandement de mon propre fils, à bord du vaisseau-amiral *Wienis,* ancien croiseur de la flotte impériale. »

Hardin fronça les sourcils. « Et quand tout cela doit-il se passer ?

— Si cela vous intéresse, les unités de la flotte anacréonienne ont décollé il y a cinquante minutes exactement, à onze heures, et elles ouvriront le feu dès qu'elles seront en vue de Terminus, c'est-à-dire vers midi demain. Vous pouvez vous considérer comme prisonnier de guerre.

— C'est exactement ainsi que je me considère, Votre Altesse, dit Hardin. Mais vous me décevez. »

Wienis ricana. « Vraiment ?

— Oui. J'avais pensé que l'heure du couronnement, minuit, serait le moment rêvé pour donner le départ à la flotte. Mais vous vouliez déclencher la guerre quand vous étiez encore régent. Ç'aurait pourtant été plus spectaculaire autrement. »

Le régent le fixa d'un air stupéfait. « Par l'Espace, de quoi voulez-vous parler ?

— Vous ne comprenez donc pas ? dit Hardin, d'un ton suave. J'avais préparé ma parade pour minuit. »

Wienis se leva d'un bond. « Ce n'est pas moi que vous allez bluffer. Il n'y a pas de parade. Si vous comptez sur le soutien des autres royaumes, c'est inutile. Toutes leurs flottes réunies ne sont pas de taille à lutter avec la nôtre.

— Je le sais. Je n'ai pas l'intention de tirer un seul coup de feu. Il se trouve simplement que l'ordre a été lancé la semaine dernière de frapper d'interdit la planète Anacréon à dater d'aujourd'hui minuit.

— D'interdit ?

— Oui. Si vous ne comprenez pas ce que cela signifie,

sachez que tous les prêtres d'Anacréon vont se mettre en grève, à moins que je n'annule mon ordre. Mais je ne le puis pas puisque je suis détenu au secret ; et je n'en aurais d'ailleurs pas le désir si j'en avais la possibilité. » Il se pencha en avant et ajouta : « Vous rendez-vous compte, Votre Altesse, qu'attaquer la Fondation, c'est tout simplement commettre le plus terrible sacrilège ? »

Wienis faisait visiblement effort pour se dominer. « Ça ne prend pas avec moi, Hardin. Gardez ça pour la populace.

— Mon cher Wienis, pour qui croyez-vous que je le garde ? Je suppose que, depuis une demi-heure, chacun des temples d'Anacréon est envahi par une foule qui écoute le prêtre l'entreprendre précisément sur ce sujet. Il n'est pas un homme ni une femme sur Anacréon qui ignore maintenant que leur gouvernement vient de lancer une attaque déloyale et non motivée contre le centre même de leur religion. Mais il est minuit moins quatre. Vous feriez mieux de regagner la salle de bal pour suivre les événements. Je ne risque rien avec cinq gardes en armes derrière cette porte. » Il se carra dans son fauteuil, se versa un nouveau verre de Locris et contempla le plafond avec une parfaite indifférence.

Wienis poussa un juron étouffé et sortit en courant.

Le silence se faisait peu à peu parmi les nobles invités, tandis qu'on s'écartait pour laisser passer le trône. Lepold y avait pris place, les mains solidement appuyées sur les bras du siège, la tête droite, le visage impassible. Les lustres étaient éteints, seule la clarté diffuse des petites ampoules Atomo baignait la vaste salle, et le halo royal brillait de tous ses feux, dessinant une couronne au-dessus de la tête du souverain.

Wienis s'arrêta sur le seuil. Personne ne le vit. Tous les regards étaient fixés sur le trône. Il serra les poings et ne bougea pas : Hardin n'allait pas, par son bluff, lui faire commettre un geste ridicule.

Soudain, le trône s'ébranla. Sans bruit, il se souleva et commença à se déplacer parallèlement au sol, à quinze centimètres de hauteur, en direction de la grande fenêtre ouverte.

Au moment où la voix grave de l'horloge commençait à

sonner minuit, le trône s'arrêta devant la fenêtre... et le halo royal s'éteignit.

Pendant une fraction de seconde, le roi ne broncha pas ; privé de son halo, son visage, crispé par la surprise, parut presque humain. Puis le trône tangua un peu et tomba sur le plancher avec un bruit sourd, en même temps que toutes les lumières du palais s'éteignaient.

Dans la confusion qui suivit, on entendit la voix de Wienis qui criait : « Les torches ! Apportez les torches ! »

Se frayant un chemin à travers la foule, il s'approcha de la porte. Des gardes du palais couraient en tous sens.

On finit par apporter les torches qu'on devait utiliser pour la gigantesque retraite aux flambeaux qui devait suivre le couronnement.

Les gardes sillonnaient la salle, portant des torchères aux flammes bleues, rouges et vertes, dont la lumière révélait des visages affolés.

« Ne vous inquiétez pas, cria Wienis. Gardez vos places. Le courant va revenir. »

Il se tourna vers le capitaine des gardes figé au garde-à-vous. « Qu'y a-t-il, capitaine ?

— Votre Altesse, répondit l'officier, le palais est cerné par le peuple.

— Que veulent ces gens ? gronda Wienis.

— Un prêtre est à leur tête ; le grand prêtre Poly Verisof. Il exige la libération immédiate du Maître Salvor Hardin et l'arrêt des hostilités engagées contre la Fondation. » Bien que son ton demeurât impassible, l'homme promenait autour de lui un regard inquiet.

« Si l'une de ces canailles tente de franchir les grilles du palais, tirez. Ne faites rien d'autre pour le moment. Laissez-les hurler. »

On avait achevé de distribuer les torches et l'on recommençait à voir clair dans la salle de bal. Wienis se précipita vers le trône toujours planté devant la fenêtre et prit par le bras Lepold, paralysé de frayeur.

« Viens avec moi. » Il jeta un coup d'œil par la fenêtre. La ville était plongée dans les ténèbres. De la place montaient les clameurs de la foule. Il n'y avait d'éclairé que le

Temple d'Argolide, vers la droite. Poussant un juron, Wienis entraîna le roi.

Ils firent irruption dans le cabinet de travail, suivis des cinq gardes. Lepold marchait comme en transe, incapable d'articuler un mot.

« Hardin, fit Wienis d'une voix rauque, vous jouez avec des forces qui vous dépassent. »

Le Maire ne répondit même pas. Il resta assis, un sourire ironique se jouant sur son visage : il avait allumé sa lampe Atomo de poche.

« Que Votre Majesté veuille bien accepter mes félicitations à l'occasion de son couronnement.

— Hardin, cria Wienis, ordonnez à vos prêtres de reprendre le travail. »

Hardin le toisa calmement. « Ordonnez-le-leur vous-même, Wienis, et voyons un peu qui joue avec des forces qui le dépassent. A l'heure actuelle, pas un engrenage ne tourne dans Anacréon. Pas une lampe ne fonctionne ailleurs que dans les temples. Sur la face de la planète où c'est l'hiver, il n'y a pas une calorie en dehors des temples. Les hôpitaux n'acceptent plus de malades. Les centrales atomiques sont fermées. Tous les astronefs sont cloués au sol. Si cela ne vous plaît pas, Wienis, donnez l'ordre aux prêtres de reprendre leur travail. Pour ma part, je n'en ai aucune envie.

— Par l'Espace ! Hardin, c'est ce que je vais faire. Si vous voulez la guerre, vous l'aurez. Nous allons voir si vos prêtres peuvent tenir tête à l'armée. Ce soir, tous les temples de la planète vont être placés sous surveillance militaire.

— Parfait, mais comment allez-vous lancer votre ordre ? Toutes les lignes de communication de la planète sont interrompues. Vous pourrez constater que la radio ne fonctionne pas plus que la télévision ni que le système à ondes ultra-courtes. Le seul appareil encore en état de marche sur toute la planète est ce téléviseur que vous voyez ici, et je l'ai arrangé de façon qu'il ne puisse que faire office de récepteur. »

Wienis ouvrit la bouche, mais aucun son n'en sortit. Hardin cependant poursuivait : « Si vous le désirez, vous pouvez envoyer vos troupes à l'assaut du Temple d'Argolide, qui n'est pas loin, et utiliser les installations à ondes ultra-courtes qui s'y trouvent pour communiquer avec le reste de la planète. Mais si vous faites cela, je crains fort que vos hommes ne soient écharpés par la foule, et alors qui protégera votre palais. Wienis ? Et vos existences, Wienis ?

— Nous pouvons tenir, fit Wienis. Nous tiendrons. La populace peut toujours hurler et le courant être coupé, nous tiendrons. Et quand la nouvelle arrivera jusqu'ici que la Fondation a été vaincue, votre précieuse populace découvrira que sa religion a été édifiée sur le vide ; elle abandonnera vos prêtres et elle se tournera même contre eux. Je vous donne jusqu'à demain midi. Hardin ; vous pouvez peut-être arrêter la production d'énergie sur Anacréon, mais *vous ne pouvez pas arrêter ma flotte.* » Il exultait. « Ils sont en route, Hardin, avec votre grand croiseur que vous avez fait réparer pour nous à leur tête.

— Le croiseur que j'ai fait réparer, en effet, dit Hardin, d'un ton désinvolte, mais suivant mes instructions. Dites-moi, Wienis, avez-vous jamais entendu parler d'un relais à hyperondes ? Non, je vois que non. Eh bien, d'ici deux minutes, vous allez voir ce qu'on peut faire avec ce dispositif. »

Il n'avait pas fini sa phrase que l'écran du téléviseur s'allumait. Hardin reprit : « Non, d'ici deux secondes. Asseyez-vous, Wienis, et écoutez bien. »

VII

Théo Aporat était un des plus hauts dignitaires ecclésiastiques d'Anacréon. Du seul point de vue hiérarchique, il méritait sa nomination au poste de grand aumônier à bord du vaisseau amiral *Wienis.*

Mais ce n'était pas seulement une question de préséance. Il connaissait l'appareil. Il avait travaillé sous le contrôle des saints hommes de la Fondation à sa remise en état.

Guidé par leurs conseils, il avait revisé les moteurs. Il avait refait l'installation électronique des téléviseurs, rétabli le système d'intercommunication, remplacé le blindage de la coque. Il avait même été autorisé à aider les hommes de la Fondation à installer un dispositif si sacré qu'aucun astronef n'en avait encore possédé : on en avait réservé la primeur à cet appareil géant, et c'était le relais à hyperondes.

Aussi avait-il été atterré d'apprendre à quelles tristes fins l'on destinait ce magnifique engin. Il n'avait pas voulu croire ce que lui avait dit Verisof : que l'astronef allait être utilisé pour la réalisation d'un projet abominable ; que ses canons allaient être braqués sur la grande Fondation. Sur cette Fondation où lui-même avait été formé et qui demeurait la source de tout bienfait.

Et pourtant, après ce que l'amiral lui avait dit, le doute n'était pas permis.

Comment le roi pouvait-il tolérer un aussi horrible forfait ? Mais était-ce bien le roi, le coupable ? La faute n'en incombait-elle pas à ce maudit Wienis, qui aurait alors agi à l'insu du souverain ? Et n'était-ce pas d'ailleurs le fils de ce même Wienis qui venait de lui dire, cinq minutes plus tôt :

« Occupez-vous des âmes et des prières, mon père. Moi, je m'occupe de mon astronef ! »

Aporat eut un sourire narquois. Bien, il s'occuperait des âmes et des prières... et aussi des malédictions ; et le prince Lefkin ne tarderait pas à regretter son attitude.

Il venait de pénétrer dans la salle des communications. Son acolyte le précédait, et les deux officiers de quart les laissèrent entrer. Le grand aumônier avait accès à toutes les parties de l'astronef.

« Fermez la porte », ordonna Aporat. Il regarda le chronomètre. Minuit moins cinq. Il avait bien calculé.

En quelques gestes rapides, il manipula les petits leviers qui branchaient sur la salle tous les appareils d'intercommunication du bord : d'un bout à l'autre des quelque trois kilomètres de la coque, tous les téléviseurs transmirent sa voix et son image.

« Soldats du vaisseau-amiral *Wienis*, écoutez ! C'est votre aumônier qui vous parle ! Votre navire est lancé dans une entreprise sacrilège. A votre insu, vous allez commettre un acte qui va condamner l'âme de chacun de vous à errer pour l'éternité dans le vide glacé de l'Espace. Ecoutez ! Il est dans les intentions de votre commandant d'amener le *Wienis* aux abords de la Fondation et de bombarder cette source de toute bénédiction pour la contraindre à se plier à ses exigences. Dans ces conditions, et au nom de l'Esprit Galactique, je le relève de son commandement car est indigne de commander celui qui pèche contre l'Esprit Galactique. Le divin roi lui-même ne peut se maintenir sur le trône sans l'accord de l'Esprit. »

Il reprit, tandis que son acolyte l'écoutait avec vénération, et les deux officiers avec une appréhension croissante : « Et comme cet astronef entreprend une croisière impie, que la bénédiction de l'Esprit lui soit aussi enlevée. »

Il leva les bras en un geste solennel et, devant tous les écrans de télévision du bord, les soldats affolés virent l'expression menaçante de leur aumônier ; celui-ci poursuivait :

« Au nom de l'Esprit Galactique de son prophète, Hari Seldon, et de ses interprètes, les saints hommes de la Fondation, je maudis cet astronef. Que les téléviseurs de cet appareil qui sont ses yeux deviennent aveugles. Que ses grappins qui sont ses bras soient paralysés. Que ses canons atomiques qui sont ses poings perdent toute vigueur. Que ses moteurs qui sont son cœur cessent de battre. Que son système de communication qui est sa voix devienne muet. Que ses ventilateurs qui sont son souffle s'immobilisent. Que ses lumières qui sont son âme s'éteignent. Au nom de l'Esprit Galactique, je maudis cet astronef. »

Et comme il prononçait ces derniers mots, minuit sonna et, à des années-lumière de là, dans le Temple d'Argolide, une main ouvrit un relais à hyperondes qui déclencha aussitôt l'ouverture d'un relais correspondant à bord du *Wienis.*

Et le courant fut coupé à bord !

Car les religions scientifiques ont le précieux avantage de toujours réussir leurs miracles et d'exaucer, à la demande, des malédictions telles que celles d'Aporat.

L'aumônier vit les ténèbres gagner tout l'astronef en même temps que s'arrêtait le ronronnement régulier des moteurs hyperatomiques. Triomphant, il tira d'une poche de sa robe une lampe Atomo qui baigna la salle d'une lumière nacrée.

Il regarda les deux officiers, des hommes courageux sans doute, mais qui se traînaient à genoux, en proie à la plus profonde terreur. « Sauvez nos âmes, révérend. Nous sommes de pauvres soldats qui ne connaissons pas les crimes de nos chefs, gémissaient-ils.

— Suivez-moi, dit Aporat. Votre âme n'est pas encore perdue. »

Dans la nuit où était plongé le *Wienis*, la peur rôdait, comme un brouillard presque palpable. Sur le passage d'Aporat, les hommes d'équipage se massaient, cherchant à toucher le bord de sa robe, implorant sa miséricorde.

Il leur faisait toujours la même réponse : « Suivez-moi ! »

Il trouva le prince Lefkin qui cherchait son chemin à tâtons dans le carré des officiers et réclamait à grands cris de la lumière. L'amiral fixa l'aumônier d'un regard lourd de haine.

« Ah ! vous voilà ! » Lefkin avait les yeux bleus de sa mère, mais à son léger strabisme et à son nez crochu, on reconnaissait bien le fils de Wienis. « Que signifie cette trahison ? Redonnez le courant. C'est moi qui commande ici.

— Plus maintenant », dit Aporat.

Lefkin cherchait ses hommes des yeux : « Arrêtez-le, fit-il. Arrêtez-le, ou, par l'Espace, je jette dans le vide tout homme qui se trouve à portée de ma main. » Il se tut et, comme personne ne bougeait, il reprit d'une voix grinçante : « C'est votre amiral qui vous l'ordonne. Arrêtez-le.

La colère l'étouffait. « Est-ce que vous allez vous laisser berner par ce polichinelle ? Allez-vous trembler longtemps encore devant une religion de charlatans ? Cet homme est un imposteur, et l'Esprit Galactique dont il parle n'est qu'une invention...

— Saisissez-vous de ce blasphémateur, tonna Aporat.

Vous mettez en danger le salut de votre âme en l'écoutant. »

Aussitôt le noble amiral fut empoigné par une dizaine de soldats.

« Emmenez-le avec vous et suivez-moi. »

Aporat tourna les talons et, à la tête des soldats qui traînaient Lefkin, il regagna la salle des communications. Là, il fit amener l'ancien commandant devant l'unique téléviseur encore en état de marche.

« Ordonnez au reste de la flotte de faire demi-tour et de remettre le cap sur Anacréon. »

Lefkin, son uniforme en lambeaux, le visage marqué de coups et les cheveux en désordre, dut obéir.

« Et maintenant, reprit Aporat, nous sommes en relations avec Anacréon par hyperondes. Répétez ce que je vais vous dire. »

Lefkin voulut protester, mais la foule qui emplissait la salle et obscurcissait les couloirs se mit à gronder.

« Parlez ! dit Aporat. Commencez : la flotte anacréonienne... »

Lefkin commença.

VIII

Un silence absolu régnait dans le cabinet de Wienis quand l'image du prince Lefkin apparut sur l'écran du téléviseur. Le régent eut un bref sursaut en voyant le visage hagard de son fils, puis il retomba dans son fauteuil, atterré.

Hardin écoutait, tandis que le roi Lepold demeurait blotti dans un coin de la pièce, mordillant frénétiquement les dorures de sa manche. Même pas les gardes avaient perdu leur impassibilité et, le dos à la porte, leurs armes à la main, ils ne pouvaient s'empêcher de jeter des coups d'œil furtifs dans la direction du téléviseur.

Lefkin parlait d'une voix hachée :

« La flotte anacréonienne... ayant pris connaissance de la nature de la mission... et refusant de prêter son concours...

à un abominable sacrilège... regagne Anacréon... et lance... un ultimatum aux blasphémateurs... qui oseraient attaquer... la Fondation... source de toute bénédiction... et l'Esprit Galactique... Cessez immédiatement toute opération... contre les détenteurs de la vraie foi... et donnez l'assurance à l'aumônier Aporat... représentant la flotte... que les hostilités ne reprendront jamais... et que... » A ce moment il y eut un long silence, puis le prince continua : « Et que l'ex-régent Wienis... sera emprisonné et cité devant un tribunal ecclésiastique... pour répondre de ses crimes. Faute de quoi la flotte royale... lors de son retour sur Anacréon... rasera le palais... et prendra toute mesure utile... pour anéantir ce repaire de pécheurs... »

La voix se brisa dans un sanglot étouffé et l'écran redevint blanc.

Hardin pressa le bouton de sa lampe Atomo dont la lumière baissa suffisamment pour que le régent, le roi et les gardes ne fussent plus que des silhouettes aux contours flous ; on put voir alors qu'un halo fluorescent entourait Hardin.

Ce n'était pas l'éclat éblouissant qui était la prérogative des rois, mais une lueur moins spectaculaire, moins impressionnante, et qui pourtant faisait plus d'effet.

Hardin s'adressa d'un ton doucement ironique à ce même Wienis qui, une heure plus tôt, le déclarait prisonnier de guerre et disait que Terminus courait à sa destruction, cet homme qui n'était plus qu'une ombre silencieuse et affalée sur elle-même.

« Je connais une vieille fable, dit-il, si vieille que les ouvrages les plus anciens qui la contiennent ne sont que des reproductions d'ouvrages plus anciens encore. Je crois qu'elle vous intéressera.

« Un cheval, qui avait pour ennemi un loup aussi puissant que dangereux, vivait dans une crainte constante. Poussé par le désespoir, l'idée lui vint de se chercher un allié suffisamment fort. Il alla donc trouver un homme et lui proposa de s'allier avec lui, arguant que le loup était aussi ennemi de l'homme. L'homme accepta aussitôt et proposa de tuer le loup sans tarder, à la condition que le cheval mît sa propre vitesse au service de son nouvel allié.

Le cheval permit à l'homme de mettre une selle sur son dos. L'homme monta le cheval, retrouva le loup et le tua.

« Le cheval, tout content, remercia l'homme et dit : « Maintenant que notre ennemi est mort, libère-moi. »

« A quoi l'homme répondit en riant : « Je ne suis pas fou. Lève-toi et file, canasson ! » Et il lui piqua le flanc de ses éperons. »

L'ombre qu'était Wienis ne bougea pas.

Hardin poursuivit tranquillement : « Vous voyez l'analogie, j'espère. Dans leur désir de s'assurer à jamais la domination sur leurs peuples, les rois des Quatre Royaumes acceptèrent la religion de la science qui les rendait divins ; mai cette religion leur ôta la liberté car elle plaçait l'énergie atomique entre les mains du clergé, lequel, vous l'avez oublié, prenait ses ordres de nous, et non de vous. Vous avez tué le loup, mais vous n'avez pas pu vous débarrasser des prêtres... »

Wienis bondit sur ses pieds : « Je vous aurai quand même ! hurla-t-il. Vous ne vous échapperez pas. Vous pourrirez ici. Qu'ils nous fassent sauter. Qu'ils fassent tout sauter. Je vous aurai ! »

Puis se tournant vers ses gardes, il rugit : « Abattez-moi ce démon. Tuez-le ! Tuez-le ! »

Hardin fit face aux gardes et sourit. L'un d'eux braqua sur lui son fusil atomique, puis l'abaissa. Les autres ne bougèrent même pas. L'idée ne leur venait pas de se mesurer à Salvor Hardin, Maire de Terminus, l'homme qu'ils voyaient entouré d'un halo, souriant tranquillement, et devant qui tout à l'heure la puissance d'Anacréon s'était effondrée.

Wienis poussa un juron et s'avança en titubant vers le garde le plus proche ; il arracha son arme à l'homme et la braqua sur Hardin, lequel ne fit pas un mouvement. Wienis tira.

Le rayon pâle et continu vint heurter le champ radioactif qui entourait le Maire de Terminus, pour être aussitôt absorbé.

Le halo de Hardin devint légèrement plus brillant par l'addition d'énergie dont il venait de profiter. Dans son coin, Lepold se couvrit les yeux et gémit.

Avec un cri de désespoir, Wienis changea de cible et tira de nouveau. Il s'écroula sur le sol, le crâne pulvérisé.

Hardin eut un petit haut-le-corps et dit : « Il aura été « homme d'action » jusqu'au bout. Le dernier refuge ! »

IX

Le caveau était plein à craquer. Toutes les chaises étaient occupées et des gens étaient debout au fond de la salle, sur trois rangs.

Salvor compara cette foule avec les quelques hommes qui avaient assisté à la première apparition de Hari Seldon, trente ans plus tôt. Ils n'étaient que six alors ; les cinq Encyclopédistes — tous morts aujourd'hui — et lui-même, le jeune Maire. Un Maire dont le rôle devait le lendemain cesser d'être purement décoratif.

Aujourd'hui, la situation n'était plus du tout la même. Chacun des membres du Conseil attendait l'apparition de Seldon. Lui-même était toujours Maire, mais tout-puissant maintenant, et extrêmement populaire en plus depuis l'affaire d'Anacréon. Lorsqu'il était revenu d'Anacréon avec la nouvelle de la mort de Wienis et un traité signé de la main tremblante de Lepold, on l'avait accueilli par un vote de confiance unanime. Lorsque d'autres traités vinrent s'y ajouter en rapide succession — traités avec les autres royaumes et qui donnaient à la Fondation des pouvoirs empêchant toute attaque comme celle d'Anacréon de se reproduire — ç'avait été du délire, et les retraites aux flambeaux avaient envahi les rues de Terminus. Le nom de Hari Seldon lui-même n'avait jamais été plus applaudi.

Hardin pinça les lèvres. Cette popularité, il en avait joué aussi après la première crise.

A l'autre bout de la pièce, Sef Sermak et Lewis Bort discutaient avec animation. Les récents événements ne semblaient nullement les avoir démontés. Comme les autres, ils avaient voté la confiance. Ils avaient prononcé des discours dans lequels ils admettaient publiquement qu'ils s'étaient trompés, ils s'étaient élégamment excusés de certaines expressions qu'ils avaient employées au cours de débats antérieurs, disant qu'ils n'avaient fait qu'obéir à ce que leur dictait leur conscience... sur quoi, ils s'étaient empressés de lancer une nouvelle campagne actionniste.

Yohan Lee toucha Hardin de sa manche et lui désigna sa montre.

Hardin leva les yeux. « Tiens, bonjour, Lee. Toujours fâché ? Qu'est-ce qu'il y a maintenant ?

— Il va arriver dans cinq minutes, non ?

— Je suppose. Il est apparu à midi l'autre fois.

— Et s'il reste où il est ?

— Est-ce que vous allez m'ennuyer toute la vie avec vos inquiétudes ? S'il n'apparaît pas, il n'apparaîtra pas, voilà tout. »

Lee hocha lentement la tête. « Si cela échoue, nous serons encore une fois dans le pétrin. Si nous n'avons pas l'approbation de Seldon pour ce que nous avons fait, Sermak repartira de plus belle. Il demande l'annexion immédiate des Quatres Royaumes, et l'agrandissement de la Fondation... par la force, si besoin en est. Il a déjà commencé sa campagne.

— Je sais. Un mangeur de feu doit avaler des flammes, même s'il lui faut les faire naître de ses propres mains. Et vous, Lee, vous devez vous ronger, même si vous devez pour cela inventer des soucis. »

Lee était sur le point de répondre, mais il resta bouche bée... les lumières venaient de baisser.

Hardin lui-même tressaillit. Une silhouette venait d'apparaître dans la cage de verre... un homme assis dans un fauteuil roulant ! Le Maire était le seul, parmi tous les assistants, à avoir déjà vu cet homme, trente ans plus tôt. Lui-même était jeune alors, et l'homme, âgé. Depuis, l'apparition n'avait pas vieilli d'un jour, tandis que lui-même était devenu un vieillard.

L'homme regardait droit devant lui ; il avait un livre sur les genoux.

Il dit, d'une voix douce et vieille : « Je suis Hari Seldon ! »

Dans la pièce, tout le monde retenait sa respiration. Hari Seldon poursuivit d'un ton tranquille : « C'est la seconde fois que je viens ici. J'ignore, bien entendu, s'il y en a parmi vous qui étaient ici la première fois. Je n'ai même aucun moyen de me rendre compte si quelqu'un me voit aujourd'hui, mais cela n'a aucune importance. Si la seconde crise a été surmontée, vous êtes sûrement ici ; vous n'avez pas d'autre solution. Si vous n'êtes pas ici, c'est que la seconde crise a été trop violente pour vous. »

Il sourit. « Mais j'en doute, car mes calculs montrent que la probabilité est de 98,4 pour cent pour qu'il n'y ait pas de déviation appréciable du Plan dans les quatre-vingts premières années.

« Vous devez donc maintenant dominer les royaumes barbares situés dans l'entourage immédiat de la Fondation. Tout comme, dans la première crise, vous les avez tenus à distance par l'équilibre des puissances, vous les avez vaincus, dans la seconde, par l'utilisation du pouvoir spirituel contre le temporel.

« Je vous conseille, toutefois, de ne pas avoir trop confiance en vous-mêmes. Il n'est pas dans mon propos de vous prédire ce qui va se produire, mais je crois devoir vous avertir que vous n'avez fait jusqu'à maintenant que rétablir un nouvel équilibre — votre position étant cependant, cette fois, bien meilleure. Le pouvoir spirituel, s'il suffit à éviter les attaques du temporel, ne suffit pas à attaquer à son tour. Le pouvoir spirituel ne peut continuer à dominer face à l'accroissement constant d'une force antagoniste connue sous le nom de régionalisme, ou nationalisme. Je crois ne rien vous apprendre là de nouveau.

« Pardonnez-moi, d'ailleurs, de vous parler en termes si vagues. C'est le mieux que je puisse faire, étant donné qu'aucun de vous n'est en mesure de comprendre la vraie symbolique de la psychohistoire.

« La Fondation n'est qu'à l'entrée de la voie qui mènera au nouvel Empire. Les royaumes voisins continuent à jouir d'une puissance en matériel humain et en ressources considérable comparée à la vôtre. Au-delà de leurs terres, s'étend la vaste jungle barbare qui constitue tout le pourtour de la Galaxie. Mais, au centre, demeure ce qui reste de l'Empire

Galactique et qui, bien qu'affaibli et décadent, est encore d'une puissance incomparable. »

Hari Seldon prit son livre entre les mains et l'ouvrit. Son visage était grave. « N'oubliez pas, non plus, qu'une autre Fondation a été instituée voilà quatre-vingts ans : la Fondation qui se trouve à l'autre bout de la Galaxie, à Star's End. Il faudra toujours compter avec elle. Messieurs, vous avez encore neuf cent vingt années devant vous avant que soit réalisé le Plan. A vous de résoudre le problème. Attelez-vous-y ! »

Il se replongea dans son livre et disparut tandis que les lumières reprenaient leur intensité normale. Dans le brouhaha qui s'ensuivit, Lee chuchota à l'oreille de Hardin : « Il n'a pas dit quand il reviendrait.

— Je sais, répliqua Hardin. Je sais... mais je serais surpris qu'il revienne avant que vous et moi ne dormions tranquillement du sommeil de l'éternité. »

QUATRIEME PARTIE

LES MARCHANDS

I

LES MARCHANDS. — ... *et, devançant toujours l'hégémonie politique de la Fondation, les Marchands poussaient des pointes jusqu'en des lieux éloignés de la Périphérie. Des mois et des années passaient parfois entre leurs retours sur Terminus ; leurs vaisseaux n'étaient souvent rien de plus que de pauvres engins rapiécés et improvisés ; leur honnêteté n'était pas sans tache ; leur audace...*

Avec le temps, ils forgèrent un Empire plus solide que le despotisme pseudo-religieux des Quatre Royaumes...

Des légendes innombrables circulent sur le compte de ces hommes robustes et solitaires qui se flattaient, avec une bonne part de sérieux, d'avoir pour devise l'aphorisme de Salvor Hardin : « Que tes principes de morale ne t'empêchent jamais de faire ce qui est juste ! » Il est difficile de définir aujourd'hui la part de vérité contenue dans ces légendes. Il y a, sans aucun doute, des exagérations...

ENCYCLOPEDIA GALACTICA.

Limmar Ponyets avait tout le corps enduit de savon quand retentit la sonnerie de l'appareil — ce qui prouve que, même en un endroit perdu comme l'espace de la

Périphérie galactique, il suffisait d'entrer dans son bain pour être dérangé.

Par bonheur, à bord d'un vaisseau de commerce, tout ce qui n'était pas réservé aux marchandises était fort exigu. Au point que le bain n'était qu'à deux mètres des panneaux de contrôle du récepteur.

Jurant et dégoulinant Ponyets sortit pour se mettre en communication avec celui qui l'appelait ; trois heures plus tard, un second vaisseau de commerce venait s'arrêter contre le sien, et un jeune homme souriant pénétrait chez lui par le tunnel étanche lancé entre les deux bâtiments.

Ponyets avança son unique fauteuil et se percha sur le tabouret tournant du pilote.

« Eh bien, Gorm, fit-il d'un ton sombre, vous me courez après depuis la Fondation ? »

Les Gorm alluma une cigarette et secoua la tête énergiquement. « Moi ? Pensez-vous. Je ne suis que le pauvre imbécile qui s'est trouvé débarquer sur Glyptal IV le lendemain de l'arrivée du courrier. Alors on m'a envoyé vous porter ça. »

La petite sphère brillante changea de main et Gorm ajouta : « C'est confidentiel. Ultra-secret. On n'a pas pu le confier au subéther, d'après ce que j'ai compris. C'est une capsule personnelle, en tout cas, qui ne s'ouvrira que pour vous. »

Ponyets regarda la capsule sans plaisir. « Je vois. Cest un genre de courrier qui vous apporte rarement de bonnes nouvelles. »

La boule s'ouvrit entre ses mains, et un mince ruban transparent se déroula. Ponyets se hâta de lire le message car, lorsque la fin du ruban apparut, le commencement était déjà consumé. En une minute et demie, tout le contenu de la capsule était devenu noir et s'était désagrégé, molécule par molécule.

« Oh ! Galaxie ! grommela Ponyets.

— Puis-je vous aider, proposa Les Gorm calmement, ou bien est-ce trop secret ?

— Je peux vous le dire, puisque vous êtes de la Guilde. Il faut que je parte pour Askone.

— Mais pourquoi ?

— Ils ont mis un Marchand en prison. Mais gardez ça pour vous. »

Le visage de Gorm exprima la colère. « En prison ! Mais c'est interdit par la Convention.

— Oui, mais se mêler de la politique locale est interdit aussi.

— Et c'est ce qu'il a fait ? » Gorm réfléchit un moment. « Qui est-ce ? Quelqu'un que je connais ?

— Non », dit Ponyets sèchement, d'un ton qui signifiait à Gorm que mieux valait ne pas insister.

Ponyets s'était levé et contemplait d'un regard sombre l'écran du viseur. Il murmurait des mots bien sentis à l'adresse de la vague silhouette en forme de lentille qui représentait le corps de la Galaxie. Il dit enfin tout haut : « Quelle saloperie ! Et je suis loin de mon quota. »

Gorm comprit alors : « Hé, dites donc. Askone est zone fermée.

— Parfaitement. Impossible d'y vendre fût-ce un canif. Des petits objets atomiques, ils n'en veulent pas. Au point où j'en suis de mon quota, c'est du suicide d'aller là-bas.

— Vous ne pouvez pas faire autrement ? »

Ponyets secoua la tête d'un air absent. « Je connais le type en question. Je ne peux pas laisser tomber un ami. Et puis qu'est-ce que cela fait ? Je suis entre les mains de l'Esprit Galactique et je vais d'un pas allègre là où il me dit d'aller.

— Hein ? » fit Gorm ébahi.

Ponyets le regarda et eut un petit rire. « J'oubliais. Vous n'avez jamais lu le *Livre de l'Esprit*, n'est-ce pas ?

— Je n'en ai jamais entendu parler.

— Vous en auriez entendu parler si vous aviez eu une formation religieuse, comme moi.

— Un formation religieuse ? Vous vouliez être prêtre ? » Gorm semblait profondément choqué.

« Eh oui. C'est ma honte secrète. J'étais la brebis galeuse des révérends pères. Ils ont fini par me renvoyer en invoquant des motifs suffisants pour me faire garantir une bourse d'étude séculière par la Fondation. Ce n'est pas tout ça, il faut que j'y aille. Et vous, où en êtes-vous de votre quota cette année ? »

Gorm écrasa sa cigarette et se leva. « Mon dernier chargement est parti. J'y arriverai.

— Heureux mortel », dit Ponyets d'un ton morose. Un bon moment après que l'autre fut parti, il resta immobile, plongé dans sa rêverie.

Ainsi Eskel Gorov était sur Askone... et en prison !

C'était mauvais ! Bien pire même qu'il ne pouvait y paraître au premier abord. Ç'avait été facile de fournir au jeune homme curieux de vagues explications sur ce qui s'était passé. Mais c'était bien autre chose que de faire face à la réalité.

Car Limmar Ponyets était un des rares hommes à savoir que le Maître Marchand Eskel Gorov n'était pas du tout Marchand ; qu'il n'était autre qu'un agent de la Fondation !

II

Deux semaines de passées ! Deux semaines de perdues. Une semaine pour atteindre Askone à l'extrême limite de l'espace territorial askonien, des vaisseaux de patrouille vinrent à la rencontre de Ponyets en formation convergente. Leur système de détection, en tout cas, fonctionnait bien !

Ils l'encerclèrent lentement, sans lui avoir lancé le moindre signal, tout en gardant leurs distances, et le dirigèrent vers le soleil central d'Askone.

Ponyets aurait pu certes en venir facilement à bout. Ces vaisseaux étaient des survivants délabrés de l'ancien Empire Galactique, des bâtiments qui servaient à des croisières et non à faire la guerre ; il n'y avait pas d'armes atomiques à bord. Mais Eskel Gorov était prisonnier sur Askone, et c'était un otage qu'on ne pouvait se permettre de perdre. Les Askoniens ne devaient pas l'ignorer.

Une autre semaine se passa à se frayer péniblement un chemin parmi les fonctionnaires de second ordre qui formaient un bouclier entre le Grand Maître et le monde extérieur. Chaque petit chef de bureau devait être amadoué, à chacun il fallait soutirer la lettre d'introduction qui mènerait jusqu'à son supérieur direct.

Pour la première fois, ses papiers d'identité de Marchand ne servirent à rien à Ponyets.

Enfin le Grand Maître était tout proche de l'autre côté de cette grande porte dorée flanquée de gardes... et deux semaines avaient passé.

Gorov était toujours prisonnier, et les marchandises de Ponyets pourrissaient au fond de ses cales.

Le Grand Maître était un homme de petite taille ; il avait le cheveu rare et un visage sillonné de rides : quant à son corps, il semblait ployer sous le poids de l'immense col de fourrure qu'il avait autour du cou.

Il agita les doigts des deux mains, et les gardes armés s'écartèrent pour livrer passage à Ponyets, lequel s'avança jusqu'au pied du Siège de l'Etat.

« Ne dites rien », lança le Grand Maître et Ponyets se hâta de refermer sa bouche entrouverte.

— Parfait. » Le chef des Askoniens parut visiblement soulagé. « Je ne peux pas supporter le bavardage inutile. Vous ne sauriez me menacer, et je ne vous permettrai pas de me flatter. Ni de vous plaindre. Je ne sais même plus combien de fois on vous a avertis, vous autres aventuriers, de ne plus venir sur Askone avec vos machines démoniaques.

— Monsieur, dit Ponyets d'un ton calme, je n'essaierai pas de justifier le Marchand en question. Les Marchands n'ont pas coutume d'aller où l'on ne veut pas d'eux. Mais la Galaxie est vaste et ce n'est pas la première fois qu'une frontière est franchie involontairement. En l'occurrence, il s'agit d'une regrettable erreur.

— Regrettable en effet, fit le Grand Maître d'une voix grinçante. Mais est-ce bien une erreur ? Vos gens de Glyptal IV ont commencé à me bombarder d'offres de négociations deux heures après la capture de votre misérable sacrilège. On m'a averti à maintes reprises de votre venue. Cela m'a l'air d'une opération de sauvetage bien organisée. On semble s'être attendu à beaucoup de choses... à trop d'erreurs en particulier, déplorables ou autres. »

L'Askonien n'avait pas l'air content. Il poursuivit : « Vous autres Marchands, qui voletez de monde en monde comme de pauvres papillons, seriez-vous assez fous pour croire que vous pouviez atterrir en plein centre du système d'Askone et appeler cela une simple erreur involontaire ? Allons donc ! »

Ponyets s'efforça de rester calme. Il dit, d'un ton obstiné : « Si cette tentative commerciale a été délibérée, Votre Grâce, le marchand a été très mal avisé, car cela est contraire aux règlements très stricts de notre Guilde.

— Très mal avisé, certes, dit l'Askonien sèchement. Au point que votre camarade paiera probablement sa témérité de sa vie. »

Ponyets sentit son estomac se nouer. L'autre semblait décidé. Il dit : « La mort, Votre Grâce, est un phénomène si absolu et irrévocable qu'il doit certainement y avoir une autre solution ? »

Il y eut une pause, puis la réponse vint, mesurée. « J'ai entendu dire que la Fondation était riche.

— Riche ? bien sûr. Mais nos richesses sont de celles que vous refusez de prendre. Nos marchandises atomiques valent...

— Elles ne valent rien si elles n'ont pas bénéficié de la bénédiction ancestrale. Elles sont mauvaises et maudites puisqu'elles tombent sous l'interdit ancestral. » On eût dit qu'il récitait une leçon.

Le Grand Maître baissa les paupières et dit doucement :

« Vous n'avez rien d'autre qui soit de quelque valeur ? »

Le Marchand ne saisit pas le sous-entendu. « Je ne comprends pas. Que désirez-vous ? »

L'Askonien le regarda d'un air ironique. « Vous me demandez de changer de place avec vous et de faire connaître ce que je veux. Il n'en est pas question. Votre collègue devra donc subir le châtiment prévu pour les sacrilèges par le code askonien. La mort dans la chambre à gaz. Nous sommes un peuple juste. Le dernier des paysans, dans un cas semblable, ne se verrait pas infliger punition plus sévère. Moi-même je n'en souffrirais pas de plus légère. »

Ponyets murmura tristement : « Votre Grâce, me sera-t-il permis de parler au prisonnier ?

— La loi askonienne, dit le Grand Maître, très froid, ne permet pas que l'on communique avec un condamné. »

Ponyets fit un effort pour se maîtriser. « Votre Grâce, je vous prie d'être miséricordieux pour l'âme d'un homme, à l'heure où son corps va être détruit. Cet homme a été privé de toute consolation spirituelle pendant tout le temps où sa vie a été en danger. Il va maintenant s'en retourner, sans y avoir été préparé, dans le sein de l'Esprit qui nous gouverne tous. »

Le Grand Maître demanda d'un ton chargé de soupçons :

« Vous êtes un gardien des âmes ? »

Ponyets baissa humblement la tête : « J'en ai reçu la formation. Dans le vide de l'Espace, les Marchands errants ont besoin d'hommes comme moi pour veiller au côté spirituel d'une vie par ailleurs entièrement consacrée au commerce et à la poursuite des biens de ce monde. »

L'Askonien se mordilla la lèvre pensivement. « Chacun doit préparer son âme pour le voyage de retour vers les esprits ancestraux. Pourtant, je n'aurais jamais cru que vous autres Marchands étiez croyants. »

III

Eskel Gorov remua sur sa couchette et ouvrit un œil au moment où Limmar Ponyets passait la porte lourdement renforcée. Celle-ci se referma aussitôt avec un bruit mat. Gorov se mit debout.

« Ponyets ! Ils vous ont envoyé ici ?

— Pur hasard, dit Ponyets d'un ton amer, ou alors, c'est l'œuvre de mon mauvais démon personnel. Numéro un, vous vous mettez dans le pétrin sur Askone. Numéro deux, ma route que la Chambre de Commerce connaît, m'amène à une cinquantaine de parsecs du système en question juste au moment où se passe le Numéro un. Numéro trois, ce n'est pas la première fois que nous travaillons ensemble, et la Chambre de Commerce le sait bien. Etes-vous encore étonné de me voir ici ?

— Soyez prudent, dit Gorov à mi-voix. On va sûrement nous écouter. Vous avez un brouilleur de champ sur vous ? »

Ponyets désigna le bracelet ouvragé qu'il avait au poignet, et Gorov parut soulagé.

Ponyets regarda autour de lui. La cellule était nue, mais vaste ; elle était bien éclairée et il n'y régnait pas de mauvaises odeurs. « Pas trop mal, dit-il, ils vous ménagent. »

Gorov ne tint pas compte de cette remarque. « Dites-moi, comment avez-vous pu venir ici ? On me garde au secret depuis presque deux semaines.

— Depuis mon arrivée, par conséquent. Le vieil oiseau qui commande ici a donc ses points faibles ? Il a l'air porté sur les discours pieux, alors j'ai essayé un truc qui a marché. Je suis ici en tant que votre conseiller spirituel. Il y a une chose bien chez les gens comme lui. Ils vous couperont la tête sans hésitation si cela les arrange, mais ils hésiteront toujours à mettre en danger votre âme immatérielle et problématique. C'est de la psychologie empirique, ça. Un Marchand se doit d'avoir des notions de tout. »

Le sourire de Gorov était sardonique. « Qui plus est, vous avez fait des études de théologie. Je vous aime bien, Ponyets. Je suis content que ce soit vous qu'ils aient envoyé. Mais le Grand Maître ne s'inquiète pas uniquement de mon âme. Est-ce qu'il a parlé d'une rançon ? »

Le Marchand fronça les sourcils. « Il y a fait allusion... vaguement. Il a aussi menacé de vous tuer dans la chambre à gaz. J'ai un peu éludé la question, il pouvait facilement s'agir d'un piège. Il veut donc nous extorquer quelque chose. Mais quoi ?

— De l'or.

— De l'or ! » Ponyets était surpris. « Le métal lui-même ? Pour quoi faire ?

— C'est leur monnaie d'échange.

— Ah oui ? Et où voulez-vous que j'en trouve ?

— Où vous pourrez. Ecoutez-moi, c'est très important. Il ne m'arrivera rien tant que le Grand Maître flairera de l'or. Promettez-lui-en ; autant qu'il en demandera. Après quoi, retournez à la Fondation s'il le faut pour en chercher. Quand je serai libre, on nous escortera jusqu'en dehors du système et puis nous nous séparerons. »

Ponyets lui lança un regard désapprobateur : « Et puis vous reviendrez et vous essaierez encore une fois.

— C'est ma mission de vendre des marchandises atomiques sur Askone.

— Ils vous rattraperont avant que vous ayez fait un parsec dans l'espace. Vous le savez, je suppose ?

— Je n'en sais rien, dit Gorov. Mais même si je le savais, cela n'y changerait rien.

— La prochaine fois, ils vous tueront. »

Gorov haussa les épaules.

Ponyets dit d'une voix calme : « Si je dois encore discuter avec le Grand Maître, je veux tout savoir. Jusqu'à maintenant, j'ai travaillé à l'aveuglette. Les quelques remarques pourtant bien innocentes que j'ai faites ont déclenché une véritable crise chez Sa Grâce.

— C'est simple, dit Gorov. La seule façon dont nous puissions accroître la sécurité de la Fondation ici dans la Périphérie, c'est de constituer un empire commercial sous contrôle religieux. Nous sommes encore trop faibles pour agir par la contrainte. Nous n'avons déjà que trop à faire pour tenir en respect les Quatre Royaumes. »

Ponyets aquiesçait. « Evidemment. Or, tout système qui refuse nos marchandises atomiques ne peut être soumis au contrôle religieux...

— Et risque, par conséquent, de devenir un foyer d'indépendance et d'hostilité.

— Voilà pour la théorie, dit Ponyets. Maintenant, qu'est-ce donc exactement qui nous empêche de vendre ? Une question de religion, m'a laissé entendre le Grand Maître.

— Il s'agit d'une forme de culte des ancêtres. Leurs légendes parlent d'un passé maudit dont ils n'auraient été sauvés que par les héros simples et vertueux de ces dernières générations. Cette tradition n'est que la transposition mythique de la période d'anarchie qu'ils ont connue, il y a un siècle, à l'époque où ils venaient de chasser les troupes impériales et avaient formé un gouvernement indépendant. Les progrès scientifiques et l'énergie atomique s'identifient donc désormais chez eux avec l'ancien régime impérial dont ils se souviennent avec horreur.

— Ah oui ? Eh bien, cela ne les empêche pas d'avoir de jolis petits astronefs qui m'ont fort bien repéré à deux parsecs. Pour moi, ces engins sentent l'énergie atomique... »

Gorov haussa les épaules. « Ce sont des survivants de l'Empire, probablement. Ce qu'ils ont ils le gardent. Mais ils ne veulent pas innover, et leur économie est entièrement non atomique. C'est cela qu'il faut changer.

— Et comment allons-nous nous y prendre ?

— En brisant leur résistance sur un point. Pour vous donner un exemple, si je pouvais vendre un canif à lame radioactive à un noble, cela l'amènerait à faire voter des lois qui lui permettent de s'en servir. Cela a l'air idiot, mais psychologiquement, c'est juste. En réussissant des ventes stratégiques, en des points stratégiques, on créera une faction pro-atomique à la cour.

— Et c'est vous qu'ils envoient faire ce travail, alors que moi, je ne suis ici que pour payer votre rançon et m'en aller, en vous laissant à l'ouvrage ? Vous ne trouvez pas qu'ils sont un peu mal inspirés ?

— Pourquoi ? demanda Gorov, sur ses gardes.

— Enfin, tout de même, fit Ponyets, exaspéré, vous êtes un diplomate, non un Marchand, et ce n'est pas en vous baptisant Marchand que vous en deviendrez un. La mission dont vous parlez est faite pour un vendeur professionnel ; or, moi, je suis là avec un chargement qui est en train de pourrir et dont il semble bien que je ne ferai jamais rien.

— Vous voulez dire que vous allez risquer votre peau pour quelque chose qui ne vous concerne pas ? demanda Gorov avec un pâle sourire.

— Autrement dit, fit Ponyets, c'est l'affaire d'un patriote, et les Marchands ne sont pas renommés pour leur patriotisme ?

— Bien sûr que non. Les pionniers ne le sont jamais.

— Bon, je veux bien reconnaître que je ne sillonne pas

l'espace pour sauver la Fondation. Mais mon but est de gagner de l'argent, et je vois là une occasion de le faire. Si j'aide en même temps la Fondation, tant mieux. J'ai déjà risqué ma vie avec des chances de réussite plus faibles, d'ailleurs. »

Ponyets se leva et Gorov l'imita. « Qu'allez-vous faire ? »

Le Marchand sourit. « Je ne sais pas, Gorov... pas encore. Mais si tout revient à vendre... je suis votre homme. Je n'ai pas l'habitude de me vanter, mais jamais encore il ne m'est arrivé de ne pas atteindre mon quota. »

La porte de la cellule s'ouvrit dès qu'il eut frappé et il sortit entre deux gardes.

IV

« Une démonstration », dit le Grand Maître avec mépris. Il se cala dans ses fourrures et serra dans sa main la barre de fer qui lui servait de canne.

« Et de l'or, Votre Grâce.

— Et de l'or », acquiesça le Grand Maître d'un ton négligent.

Ponyets posa le coffret à terre et l'ouvrit avec une nonchalance qu'il avait grand mal à feindre. Il se sentait seul au sein d'un monde hostile ; c'était la même impression qu'il ressentit au milieu de l'espace la première année. Le demi-cercle de conseillers barbus qui assistaient à la scène regardaient le Marchand sans aménité. Parmi eux se trouvait Pherl, le favori du Grand Maître, et son visage anguleux était particulièrement sévère. Ponyets l'avait déjà rencontré et, ce jour-là, il avait compris que l'autre était son pire ennemi ; il avait donc décidé d'en faire sa première victime.

Derrière les portes de la salle, une petite armée attendait les événements. Ponyets était coupé de son vaisseau ; il n'avait d'autre arme que sa tentative de corruption. Et Gorov était toujours leur otage.

Il fit les derniers préparatifs sur l'engin hideux qui lui avait coûté une semaine d'efforts et, une fois de plus, fit une prière silencieuse pour que le quartz doublé de plomb tienne.

« Qu'est-ce que c'est que cela ? » demanda le Grand Maître.

Ponyets recula d'un pas et répondit : « C'est un petit appareil que j'ai construit moi-même.

— Je le vois bien, mais ce n'est pas cela qui m'intéresse. Est-ce que c'est une de ces abominables sorcelleries de votre monde ?

— C'est un appareil atomique, reconnut Ponyets gravement, mais aucun de vous n'aura à le toucher ni à s'en préoccuper. Il est destiné à moi seul, et je supporterai toutes les abominations qui pourraient en découler. »

Le Grand Maître avait brandi sa canne de fer dans la direction de la machine, et ses lèvres murmurèrent une invocation purificatrice. Le maigre conseiller qui était assis à sa droite se pencha vers lui, collant sa moustache rousse contre l'oreille du Maître. Celui-ci se dégagea d'un geste impatient.

« Et quel rapport y a-t-il entre cet engin diabolique et l'or qui sauvera peut-être la vie de votre compatriote ?

— Avec cette machine », commença Ponyets, caressant les flancs arrondis et durs de la chambre centrale, « je peux transformer le fer, que vous dédaignez, en or de la plus fine qualité. Cest le seul appareil connu de l'homme qui soit capable de transmuter le fer — le vulgaire fer qui recouvre votre siège et les parois de cette salle, Votre Grâce — en or brillant et lourd. »

Ponyets se disait qu'il sabotait le travail. D'habitude, son discours au client était plus coulant, plus plausible ; ce qu'il venait de raconter était quand même un peu gros. Mais c'était le contenu, et non la forme, qui intéressait le Grand Maître.

« La transmutation ? Des imbéciles s'en sont déclarés capables. Ils ont payé cher leur sacrilège.

— Avaient-ils réussi ?

— Non. » Le Grand Maître parut goûter la plaisanterie. « Le succès aurait constitué un crime qui portait en lui son propre antidote. C'est l'essai, suivi d'un échec, qui est fatal. Tenez, que pouvez-vous faire de ma canne ? » Il en frappa le sol.

« Votre Grâce m'excusera, mais mon appareil est un petit modèle et votre canne est trop longue. »

Le Grand Maître regarda autour de lui. « Randel, vos boucles. On vous les remplacera doublement s'il le faut. »

On se passa les boucles de main en main. Le Grand Maître les soupesa d'un air pensif.

« Tenez », dit-il en les lançant à terre devant Ponyets.

Ponyets les ramassa. Il lui fallut forcer pour ouvrir le cylindre, puis il centra avec le plus grand soin les boucles sur l'écran positif. Plus tard, ce serait plus facile, mais il ne fallait surtout pas qu'il y eût d'erreur la première fois.

Le transmutateur grésilla pendant dix minutes pour marquer sa réaction, et il s'en dégagea une légère odeur d'ozone. Les Askoniens reculèrent en marmonnant et, une fois de plus, Pherl souffla quelque chose à l'oreille de son maître. Celui-ci demeura impassible.

Les boucles, quand elles réapparurent, étaient en or.

Ponyets les tendit au Grand Maître, mais celui-ci hésita, puis les repoussa d'un geste. Son regard ne quittait pas le transmutateur.

« Messieurs, se hâta de dire Ponyets, ceci est de l'or. Et il ne s'agit pas d'un placage. Vous pouvez soumettre ces boucles à toutes les épreuves physiques ou chimiques qu'il vous semblera bon pour vous en assurer. Il est impossible de distinguer cet or de celui extrait des mines. Et n'importe quel fer peut être traité de la même façon. La rouille ne l'attaquera pas, pas plus qu'un alliage modéré. »

Mais Ponyets ne parlait que pour meubler le silence. En fait les boucles qu'il tendait à ces gens étaient bien assez éloquentes.

Le Grand Maître finit quand même par tendre sa main émaciée. Pherl s'écria aussitôt : « Votre Grâce, cet or provient d'une source impure. »

Mais Ponyets riposta : « Une rose peut pousser dans la boue, Votre Grâce. Il vous arrive d'acheter à vos voisins les marchandises les plus diverses, sans jamais vous enquérir de la façon dont eux se les procurent, s'ils les fabriquent avec des machines bénites par vos ancêtres ou sacrilèges. D'ailleurs, je ne vous offre pas l'appareil, mais l'or.

— Votre Grâce, dit Pherl, vous n'êtes pas responsable des péchés d'étrangers qui travaillent sans votre consentement, et même à votre insu. Mais accepter ce soi-disant or fabriqué dans des conditions criminelles à partir du fer, sous vos yeux et avec votre consentement constituerait un affront aux esprits vivants de nos ancêtres vénérés.

— Mais l'or, c'est de l'or, dit le Grand Maître d'un ton indécis, et, en l'occurrence, il ne s'agit que d'un échange contre la personne païenne d'un félon condamné. Pherl, vous avez trop d'esprit critique. » Mais il n'en retira pas moins sa main.

Ponyets dit alors : « Vous êtes la sagesse même, Votre Grâce : abandonner un païen, c'est ne rien laisser perdre qui puisse profiter à vos ancêtres, alors qu'avec l'or que vous obtiendrez en échange, vous pourrez décorer leurs autels. Et même, s'il était possible que l'or en lui-même fût maudit, il ne pourrait manquer d'être purifié si l'on en faisait un aussi pieux usage.

— Par les os de mon grand-père ! » s'exclama le Grand Maître avec une surprenante véhémence, et il éclata d'un rire grêle. « Que dites-vous de ce jeune homme, Pherl ? Son raisonnement est juste. Aussi juste que les paroles de mes ancêtres.

— Peut-être, répliqua Pherl d'un ton sombre. Encore faudrait-il qu'on nous assure qu'il ne s'agit pas là d'une machination de l'Esprit Malin.

— Je vais faire mieux, dit Ponyets soudain. Gardez l'or en otage. Placez-le sur les autels de vos ancêtres comme une offrande et retenez-moi ici pendant trente jours. Si, à la fin de cette période, vos ancêtres ne manifestent pas de déplaisir — si aucun désastre ne se produit — ce sera sûrement une preuve que l'offrande a été acceptée, vous en convenez ? Que puis-je proposer de plus ? »

Lorsque le Grand Maître se leva et fit du regard le tour des conseillers, tous lui signifièrent leur accord. Pherl lui-même acquiesça brièvement en mordillant sa moustache.

Ponyets sortit et médita sur l'utilité d'une formation religieuse.

V

Une autre semaine s'écoula avant que fût décidée la rencontre avec Pherl. Ponyets commençait à s'habituer à vivre dans une perpétuelle tension. Il avait quitté sous escorte l'enceinte de la ville. Il se trouvait sous surveillance dans la villa de banlieue de Pherl. Il n'y avait rien d'autre à faire que d'accepter cette situation.

Hors du cercle des Aînés, Pherl paraissait plus grand et plus jeune. Dans son costume de sport, il ne faisait même plus Aîné du tout.

Il dit d'un ton brusque : « Vous êtes un homme étrange. Vous n'avez rien fait d'autre depuis une semaine, et surtout depuis deux heures, que d'insinuer que j'ai besoin d'or Cela me semble une peine bien inutile, car qui n'en a pas besoin ? Pourquoi ne pas avancer d'un pas ?

— Il ne s'agit pas simplement d'or, fit Poneyts discrètement. Pas de quelques pièces. Mais bien plutôt de tout ce que l'or implique.

— Et qu'implique-t-il ? interrogea Pherl avec un sourire ironique. Vous n'allez tout de même pas m'ennuyer maintenant avec une autre de vos maladroites démonstrations ?

— Maladroites ?

— Eh oui. » Pherl se frotta doucement le menton. « Je ne vous critique pas. Votre maladresse était voulue, j'en suis persuadé. J'aurais d'ailleurs pu prévenir Sa Grâce si j'avais été certain des mobiles qui vous poussaient. Car enfin, si j'avais été vous, j'aurais fabriqué mon or à bord de mon astronef et je l'aurais offert ensuite, seul. Cela vous aurait évité de jouer toute votre petite scène et de vous attirer tant d'inimitiés.

— C'est vrai, reconnut Ponyets, mais, comme j'étais moi,

j'ai accepté les inimitiés pour pouvoir attirer votre attention.

— Simplement pour cela ? » Pherl ne chercha pas à cacher un mépris amusé. « Je suppose alors que vous avez demandé cette période de trente jours de purification afin de pouvoir transformer mon attention en quelque chose d'un peu plus substantiel ? Et que se passera-t-il si l'or se révèle impur ? »

Ponyets se permit d'ironiser en retour. « Alors, que ceux qui ont le plus intérêt à le trouver pur décident de la chose ! »

Pherl leva vivement les yeux et considéra le Marchand avec attention. Il semblait à la fois surpris et satisfait.

« Pas bête. Et maintenant expliquez-moi pourquoi vous teniez tellement à attirer mon attention.

— Voilà. Dans les brèves périodes que j'ai passées ici, j'ai observé des faits utiles qui vous concernent et qui, moi, m'intéressent. Ainsi, vous êtes jeune, fort jeune pour être membre du Conseil, et, de plus, votre famille elle-même n'est pas très ancienne.

— Critiqueriez-vous ma famille ?

— Absolument pas. Vos ancêtres sont grands et saints, tout le monde le reconnaît. Mais certains disent que vous n'appartenez pas à l'une des Cinq Tribus. »

Pherl se renversa sur son siège. « Avec tout le respect que je leur dois, dit-il sans chercher à cacher sa haine, les Cinq Tribus ont du sang de navet. Il n'en reste pas cinquante membres vivants.

— Il n'empêche qu'il y a des gens pour affirmer que le pays n'acceptera pas de Grand Maître autre qu'originaire des Cinq Tribus. Et le nouvel arrivé et si jeune favori du Grand Maître que vous êtes ne peut que s'attirer des ennemis acharnés parmi les grands personnages de l'Etat ; c'est du moins ce que l'on dit. Sa Grâce vieillit et sa protection ne durera pas au-delà de sa mort : elle cessera sûrement quand un de vos ennemis deviendra celui qui interprète les paroles de son Esprit. »

Pherl parut furieux. « Vous entendez beaucoup de choses pour un étranger. Des oreilles commes les vôtres sont faites pour être coupées.

— C'est une décision que vous pourrez prendre par la suite.

— Voyons. » Pherl s'agita sur son siège. « Vous allez m'offrir la puissance et la fortune grâce à ces petites machines diaboliques que vous avez à votre bord. Et alors ?

— Supposons-le. Quelles seraient vos objections ? Vos idées sur le bien et le mal ? »

Pherl secoua la tête. « Pas du tout. Ecoutez, l'opinion que quelqu'un du dehors comme vous, c'est-à-dire un homme sans foi, peut avoir de moi est ce qu'elle est ; mais, quoi qu'il y paraisse, je ne suis pas entièrement esclave de notre mythologie. Je suis un homme cultivé, monsieur. La religion telle que vous la voyez, c'est-à-dire rituelle plutôt qu'éthique, est pour les masses.

— Quelles sont vos objections, alors ? insista Ponyets très calme.

— Les masses, justement. Moi, je peux être prêt à traiter avec vous, mais, pour être utiles, il faudrait encore que vos petites machines puissent être utilisées. Comment pourrais-je devenir riche s'il me fallait me servir d'un de ces rasoirs que vous vendez, par exemple, seulement dans le plus grand secret et en tremblant de peur ? J'aurai beau être mieux rasé que les autres et plus vite, comment acquerrais-je la richesse ? Et si l'on me surprenait en train de me servir d'un de ces engins, comment éviterais-je de périr dans la chambre à gaz, ou sous les coups d'une populace déchaînée ? »

Ponyets haussa les épaules. « Votre raisonnement est juste. Je pourrais vous faire remarquer que le remède consisterait à enseigner à votre peuple l'usage des objets atomiques pour leur confort et votre profit. Ce serait un travail gigantesque, je n'en disconviens pas, mais les bénéfices en seraient plus gigantesques encore. Enfin, c'est vous que tout cela concerne et non moi, pour l'instant. Car je ne suis en train de vous offrir ni rasoir, ni couteau, ni vide-ordures mécanique.

— Que m'offrez-vous alors ?

— L'or lui-même. Directement. Vous pouvez entrer en possession de la machine dont je vous ai montré le fonctionnement la semaine dernière. »

Pherl se raidit et se mit à plisser le front par mouvements quasi spasmodiques. « Le transmutateur ?

— Exactement. Votre réserve d'or égalera votre réserve de fer. J'imagine que cela suffira à vos besoins. Même à vous acquérir la Grande Maîtrise, en dépit de votre jeunesse et de vos ennemis. Et c'est un moyen sûr.

— Dans quel sens ?

— Parce que son emploi peut demeurer secret ; comme devrait l'être celui des appareils atomiques dont vous parliez tout à l'heure .Vous pourrez enfermer le transmutateur dans le plus haut donjon de la plus puissante forteresse de votre propriété la plus éloignée, et il n'en continuera pas moins à vous apporter la richesse immédiate. C'est *l'or* que vous achetez, non la machine, et cet or ne porte pas trace de la façon dont il a été fabriqué ; on ne saurait le distinguer de l'or naturel.

— Et qui fera fonctionner la machine ?

— Vous-même. Il ne vous faudra pas plus de cinq minutes pour apprendre. Je vous l'installerai quand vous voudrez.

— Et, en retour, vous demandez ?

— Eh bien... » Ponyets se fit prudent. « Mon prix est assez élevé. C'est ainsi que je gagne ma vie. Disons — la machine a une grande valeur — l'équivalent de dix livres d'or en fer usiné. »

Pherl éclata de rire et Ponyets rougit ? « Je vous ferai remarquer, ajouta-t-il avec raideur, que vous l'amortirez en deux heures.

— Oui, mais, au bout d'une heure, vous serez peut-être parti et ma machine se révélera peut-être, tout à coup, inutilisable. Il me faut une garantie.

— Vous avez ma parole.

— Parfait fit l'autre en s'inclinant ironiquement, mais votre présence serait pour moi plus sûre. Je vais vous donner *ma* parole que je vous paierai une semaine après livraison si l'appareil est toujours en état de marche.

— Impossible.

— Impossible ? Alors que vous risquez déjà la peine de mort rien que pour avoir osé m'offrir de me vendre quoi que ce soit. Si vous n'acceptez pas, je vous donne ma parole que vous passerez par la chambre à gaz demain. »

Le visage de Ponyets resta sans expression, mais ses yeux pourtant vacillèrent une seconde.

« Vous avez sur moi un trop grand avantage. Mettez au moins votre promesse par écrit.

— Pour risquer, moi aussi, de me faire exécuter ? Non, mon cher ! » Pherl eut un sourire satisfait. « Non. L'un de nous seulement est un pauvre imbécile.

— Entendu, alors », dit le Marchand d'une voix sourde.

VI

Gorov fut relâché au bout du trentième jour, et cinq cents livres de l'or le plus jaune prirent sa place. Avec lui fut relâché son vaisseau sacrilège et intouchable.

Pour leur sortie du système askonien, tout comme à l'aller, la flotte accompagna Ponyets et Gorov en formation serrée.

Ponyets regarda s'éloigner la tache éclairée par le soleil qu'était désormais le vaisseau de Gorov tandis que la voix de celui-ci lui parvenait, très distincte, par les hyperondes.

« Mais ce n'est pas du tout ce que nous voulions. Ponyets, disait-il. Un transmutateur ne fera jamais l'affaire Et d'ailleurs, où l'avez-vous trouvé ?

— Nulle part, répondit Ponyets patiemment. Je l'ai bricolé à partir d'une chambre d'irradiation qu'on utilise pour les stocks alimentaires. Il ne vaut rien. Il dépense une quantité incroyable d'énergie pour la fabrication en gros, sinon la Fondation s'en serait déjà servie au lieu de courir à la recherche de métaux lourds à travers toute la Galaxie. C'est un des vieux trucs dont se servent les Marchands, bien que je n'en aie jamais vu un qui passe du fer à l'or. Mais ça impressionne, et ça marche... très provisoirement.

— Possible, mais je n'approuve quand même pas votre méthode.

— Elle vous a tiré d'un très mauvais pas.

— Là n'est pas la question. D'autant qu'il faut que je retourne là-bas, dès que nous aurons faussé compagnie à notre escorte.

— Pourquoi ?

— Vous l'avez expliqué vous-même à votre politicien, répondit Gorov sans aménité. Tout votre petit laïus reposait sur le fait que le transmutateur était un moyen en vue d'une fin, mais qu'il n'avait aucune valeur en lui-même ; que Pherl achetait l'or et non l'appareil. Ce n'était pas bête, puisque ça a marché, mais...

— Mais ?... »

La voix dans l'appareil se fit plus aiguë. « Mais c'est une machine qui ait de la valeur en elle-même que nous voulons leur vendre ; quelque chose qu'ils utiliseront ouvertement, quelque chose qui les forcerait à prendre position en faveur de la fabrication atomique.

— Je comprends très bien, répondit Ponyets doucement. Vous me l'aviez déjà expliqué. Mais considérez un peu ce qui va résulter de ma petite vente, voulez-vous ? Tant que le transmutateur marchera, Pherl continuera à faire de l'or ; et il marchera assez longtemps pour que Pherl s'assure la victoire aux prochaines élections. Le Grand Maître actuel ne durera pas longtemps.

— Vous comptez sur la gratitude de votre client ? demanda Gorov froidement.

— Non... sur un intérêt bien compris. Le transmutateur lui a valu la victoire aux élections. D'autres machines...

— Absolument pas ! Votre raisonnement ne tient pas debout ! Ce n'est pas le transmutateur à quoi il croira devoir la victoire, mais l'or, le bon vieil or. C'est ce que j'essaie de vous expliquer depuis un moment. »

Ponyets sourit et s'installa dans une position plus confortable. Il avait suffisamment excité, maintenant, son interlocuteur. Ce pauvre Gorov allait avoir une crise de nerfs.

« Calmez-vous, Gorov, dit-il. Je n'ai pas fini. Il y a déjà d'autres appareils en circulation. »

Il y eut un bref silence, puis Gorov interrogea avec précaution : « Quels autres appareils ? »

Ponyets fit un geste inutile du bras : « Vous voyez cette escorte ?

— Oui, dit Gorov avec impatience, mais parlez-moi des appareils.

— Je veux bien, si vous m'écoutez. Tous ces vaisseaux constituent la flotte personnelle de Pherl ; c'est un honneur spécial que lui a fait le Grand Maître.

— Et alors ?

— Où croyez-vous qu'il nous emmène ? A ses mines, en dehors d'Askone ! Ecoutez — Ponyets s'animait — je vous ai dit que je m'étais lancé dans cette affaire pour gagner de l'argent et non pour sauver des mondes. Bon, j'ai vendu ce transmutateur pour rien. Rien que le risque de passer dans la chambre à gaz, ce qui ne compte pas pour le quota.

— Revenons-en aux mines, Ponyets. Qu'est-ce qu'elles viennent faire là-dedans ?

— C'est notre bénéfice. Nous allons entasser de l'étain, Gorov. Autant que mon rafiot pourra en contenir, puis le vôtre. Je vais descendre avec Pherl pour le ramassage, mon vieux, et vous, vous allez me couvrir d'en haut avec tous les fusils que vous avez à bord... au cas où Pherl ne serait pas l'homme d'honneur qu'il prétend être. Cet étain, c'est mon bénéfice.

— Pour le transmutateur ?

— *Pour tout mon chargement atomique.* A double prix, plus une prime. » Il haussa les épaules, presque comme pour s'excuser. « Je reconnais que je l'ai roulé en fait, mais il fallait bien que je boucle mon quota, n'est-ce pas ?

— Cela ne vous ennuierait pas de vous expliquer ? » demanda Gorov visiblement déconcerté.

« C'est assez clair, Gorov. Ce grand malin a cru qu'il m'avait lié pieds et poings parce que sa parole valait plus que la mienne aux yeux du Grand Maître. Il a pris le transmutateur, ce qui, sur Askone, constitue un crime des plus graves. Il aurait pu se défendre en disant qu'il avait agi par pur sentiment patriotique, pour me prendre sur le fait et pouvoir m'accuser de vendre des articles interdits.

— Evidemment.

— Oui, mais il ne s'agissait pas simplement de sa parole

contre la mienne. Pherl, voyez-vous, ne savait pas ce que c'est qu'un enregistreur à microfilms. »

Cette fois, Gorov éclata de rire.

« Eh oui, dit Ponyets. Il avait gagné, il me tenait. Mais quand, tout penaud, je lui ai installé son transmutateur, j'ai placé un enregistreur dedans que j'ai retiré le lendemain, en venant faire la revision. J'avais donc un film parfait de son saint des saints, avec ce pauvre Pherl lui-même faisant marcher l'appareil à plein rendement et gloussant devant le premier morceau d'or comme si c'était un œuf qu'il venait de pondre.

— Vous le lui avez montré ?

— Deux jours après. Le pauvre n'avait jamais vu de sa vie d'images en couleurs et en relief. Il prétend qu'il n'est pas superstitieux, mais je n'ai jamais vu un adulte aussi terrorisé. Quand je lui ai dit que j'avais tout préparé de façon à projeter le film à midi sur la grande place de la ville, pour qu'un million d'Askoniens fanatiques puissent en profiter et venir ensuite l'écharper, lui, Pherl, il s'est traîné à mes genoux. Il était prêt à accepter n'importe quelle proposition que je lui ferais.

— Et c'était vrai ? demanda Gorov dont la joie était sans mélange. Vous aviez préparé la projection en ville, je veux dire ?

— Non, mais peu importe. Il a conclu l'affaire dans les termes que je lui ai imposés. Il a acheté jusqu'au dernier appareil que j'avais et que vous aviez apporté pour tout l'étain que nous pourrions emporter. A ce moment-là, il me croyait capable de tout. J'ai là le contrat signé de sa main et je vous en donnerai une copie avant que nous ne descendions, par mesure de précaution.

— Mais vous l'avez humilié, dit Gorov. Est-ce qu'il va se servir de ces appareils ?

— Pourquoi pas ? C'est sa seule façon de rattraper ses pertes, et s'il gagne de l'argent, cela pansera sa blessure d'amour-propre. Il sera quand même le prochain Grand Maître... et le meilleur homme que nous puissions souhaiter dans la place.

— Oui, dit Gorov, vous avez fait une bonne opération. Mais votre technique est assez douteuse. Je ne m'étonne plus qu'on vous ait mis à la porte du séminaire. Vous n'avez donc pas de principes de morale ?

— Qu'est-ce que ça fait ? dit Ponyets tranquillement. Rappelez-vous ce que Salvor Hardin disait à propos des principes de morale. »

CINQUIEME PARTIE

LES PRINCES MARCHANDS

I

MARCHANDS. — ... *Selon les lois inéluctables de la psychohistoire, le contrôle économique exercé par la Fondation ne fit que s'étendre. les Marchands s'enrichirent ; et avec la richesse vint la puissance.*

On oublie parfois que Hober Mallow débuta dans la vie comme simple Marchand. Mais on se souvient qu'il devint finalement le premier des Princes Marchands...

ENCYCLOPEDIA GALACTICA.

Jorane Sutt joignit les extrémités de ses doigts aux ongles parfaitement soignés et dit : « C'est assez déconcertant. En fait — je vous dis cela à titre strictement confidentiel — il s'agit peut-être bien d'une autre des crises prévues par Hari Seldon. »

L'homme assis en face de lui chercha une cigarette dans la poche de son gilet smyrnien. « Allons, allons, Sutt. Chaque fois que s'ouvre la campagne électorale pour la mairie, les politiciens commencent à parler de crise Seldon. »

Sutt eut un pâle sourire. « Je ne cherche pas à faire

campagne, Mallow. Nous nous trouvons en face d'armes atomiques, et nous ne savons pas quelle en est l'origine. »

Hober Mallow, Maître Marchand de Smyrno, tirait paisiblement sur sa cigarette. « Continuez. Si vous avez autre chose à dire, je vous écoute. » Mallow ne commettait jamais l'erreur de se montrer obséquieux envers un homme de la Fondation. Il était peut-être un provincial, mais cela ne l'empêchait pas d'être un homme.

Sutt désigna la carte du ciel à trois dimensions étalée sur la table. Il manipula quelques boutons de contrôle, et une demi-douzaine de systèmes stellaires s'allumèrent en rouge.

« Voilà, dit-il, la République Korellienne. »

Le Marchand acquiesça. « Je connais. Sale bled ! Ils appellent ça une république, mais c'est toujours un membre de la famille des Argo qui est élu Commodore. Et ceux à qui ça ne plaît pas n'ont qu'à bien se tenir... Oui, répéta-t-il, d'un air songeur, je connais.

— Mais vous en êtes revenu, et tout le monde ne peut pas en dire autant. Trois appareils marchands, qui bénéficiaient pourtant de l'immunité que leur assure la Convention, ont disparu dans le territoire de la République au cours de l'année dernière. Et c'est bien qu'ils fussent munis de l'arsenal classique d'armes nucléaires et de champs radioactifs de protection.

— Quels sont les derniers messages que vous ayez reçus de ces appareils ?

— Des rapports de route normaux. Rien d'autre.

— Qu'a dit Korell ?

— Nous ne lui avons rien demandé, fit Sutt, avec un sourire amer. Le principal atout de la Fondation dans la Périphérie, c'est sa réputation de puissance. Croyez-vous que nous puissions nous permettre de geindre sur la perte de trois appareils ?

— Bon, alors si vous me disiez tout de suite ce que vous voulez de moi ? »

Jorane Sutt ne perdit pas de temps. En sa qualité de secrétaire du Maire, il avait eu l'occasion de recevoir et d'éconduire les conseillers de l'opposition, les quémandeurs, les réformateurs et autres illuminés qui prétendaient avoir refait tous les calculs de Hari Seldon et être capables de prédire le cours de l'Histoire. Il n'était donc pas homme à se laisser facilement démonter.

« Un instant, dit-il posément. Trois appareils perdus la même année dans le même secteur... ce n'est sûrement pas une coïncidence. Or, on ne peut vaincre des armes atomiques qu'avec d'autres armes atomiques. La question qui se pose donc tout naturellement est la suivante : si Korell possède des armes atomiques, où se les procure-t-elle ?

— Vous avez une idée ?

— Il y a deux possibilités : ou bien les Korelliens les ont fabriquées eux-mêmes...

— Peu plausible !

— Très peu. Ou alors nous avons un traître parmi nous.

— Vous croyez ? fit Mallow d'un ton froid.

— C'est une hypothèse qui n'a rien d'invraisemblable, dit le secrétaire. « Depuis que les Quatre Royaumes ont accepté la Convention de la Fondation, nous avons été obligés d'avoir affaire à d'importants groupes dissidents dans chaque nation. Chaque royaume à ses anciens prétendants et ses anciens nobles, qui ne portent évidemment pas la Fondation dans leur cœur. Peut-être certains de ceux-ci se sont-ils mis à manifester leur opposition de façon active. »

Le rouge montait lentement au visage de Mallow. « Je vois, je vois. Avez-vous autre chose à me dire ? Je suis un Smyrnien.

— Je sais. Vous êtes un Smyrnien, natif de Smyrno, un des anciens Quatre Royaumes. Vous n'êtes un homme de la Fondation que par éducation. Par naissance, vous êtes un provincial et un étranger. Sans doute votre grand-père était-il baron du temps des guerres d'Anacréon et de Loris, et vos terres ont-elles été saisies, quand Sef Sermak a procédé à la redistribution des domaines.

— Non, par le Noir Espace, non ! Mon grand-père était un pauvre diable de coureur d'espace qui mourut en trimbalant du charbon pour la Fondation à un salaire de misère. Je ne dois rien à l'ancien régime. Mais je suis né sur Smyrno et, par la Galaxie, Je n'en ai pas honte .N'allez pas croire que vos sales petites insinuations vont m'amener à lécher les pieds des hommes de la Fondation. Et maintenant, donnez des ordres ou continuez d'accuser, peu m'importe !

— Mon cher Maître Marchand, peu me chaut que votre grand-père ait été roi de Smyrno ou le plus pauvre des clochards. Je n'ai fait cette allusion à vos ancêtres que pour bien vous montrer que la question ne m'intéressait pas. Vous semblez ne pas m'avoir compris. Revenons au fait. Vous êtes smyrnien. Vous connaissez les provinciaux. Vous êtes un Marchand, un des plus avisés. Vous êtes déjà allé sur Korell et vous connaissez les Korelliens. C'est pourquoi il faut que vous retourniez là-bas.

— Comme espion ? fit Mallow, stupéfait.

— Pas du tout. Comme Marchand... mais en ouvrant l'œil. Si vous pouvez découvrir d'où leur vient cette énergie atomique... Permettez-moi de vous rappeler en passant, puisque vous êtes smyrnien, que deux des appareils manquants avaient des équipages smyrniens.

— Quand dois-je partir ?

— Quand votre astronef sera-t-il prêt ?

— Dans six jours.

— Alors vous partirez à ce moment-là. On vous donnera tous les détails à l'Amirauté.

— Parfait ! » Le Marchand se leva, salua Sutt et sortit.

Sutt attendit un moment, se frottant les mains d'un air méditatif ; puis il haussa les épaules et pénétra dans le bureau du Maire.

Le Maire referma le judas qui s'ouvrait sur la pièce voisine et se renversa dans son fauteuil. « Qu'en pensez-vous, Sutt ?

— C'est peut-être un excellent comédien », dit Sutt.

II

Le même soir, dans le pied-à-terre de Jorane Sutt, au vingt et unième étage du Building Hardin, Publis Manlio buvait son vin à petites gorgées.

Cet homme au corps frêle et que les ans commençaient à fléchir cumulait deux postes clefs de la Fondation. Il était secrétaire aux Affaires Etrangères dans le cabinet du Maire et, pour tous les autres systèmes, à l'exception de la Fondation, il était en outre primat de l'Eglise, pourvoyeur du Pain sacré, Grand Maître des Temples et d'autres choses non moins impressionnantes.

« En tout cas, disait-il, il a accepté d'envoyer là-bas ce Marchand. C'est un point très important.

— Cela ne nous avance pas à grand-chose, dit Sutt. Toute cette manœuvre n'est qu'un stratagème extrêmement grossier, puisque nous marchons à l'aveuglette. Nous nous contentons de frapper dans le noir en espérant que nous finirons par heurter quelque chose.

— C'est exact. Et ce Mallow est un type très fort. Que va-t-il se passer s'il refuse de se laisser duper ?

— Il faut courir le risque. S'il y a trahison, ce sont précisément les gens très forts qui sont compromis. Sinon, nous avons besoin d'un homme fort pour déceler la vérité. De toute façon Mallow sera surveillé... Votre verre est vide.

— Merci, je ne prends plus rien. »

Sutt emplit sa propre coupe et attendit patiemment que son hôte sortît de sa rêverie. Au bout d'un moment, le primat s'écria avec une surprenante brusquerie : « Dites-moi, Sutt, quelle est votre opinion là-dessus ?

— Je vais vous la dire, Manlio. Je crois que nous sommes en plein dans une crise Seldon.

— Comment pouvez-vous le savoir ? rétorqua Manlio. Est-ce que Seldon est apparu de nouveau dans le caveau ?

— Ce n'est pas nécessaire, mon ami. Voyons, raisonnons un peu. Depuis que l'Empire Galactique a abandonné la Périphérie et nous a laissé la bride sur le cou, nous n'avons jamais rencontré d'adversaires possédant l'énergie atomique. Voici que pour la première fois il s'en présente un. Cela me paraît assez significatif, même s'il n'y avait que cela. Mais ce n'est pas tout. Pour la première fois, en soixante-dix ans, nous nous trouvons devant une crise de politique intérieure. Il me semble que le synchronisme des deux crises, la crise intérieure et la crise extérieure, ne permet plus le moindre doute.

— Si ce sont là vos arguments, fit Manlio, ils ne me paraissent pas suffisants. Il y a déjà eu deux crises Seldon jusqu'à maintenant et, chaque fois, la Fondation s'est trouvée en danger de mort. On ne peut parler de troisième crise que si pareil danger se reproduit. »

Sutt ne s'énervait jamais. « Ce danger approche. Le premier imbécile venu peut flairer une crise quand elle arrive. Le rôle du véritable homme d'Etat est de la déceler dans l'œuf. Voyons, Manlio, nous subissons une évolution historique calculée d'avance. Nous avons la certitude que Hari Seldon a déterminé les probabilités historiques de l'avenir. Nous savons qu'un jour nous devrons reconstituer l'Empire Galactique. Nous savons qu'il nous faudra attendre environ mille ans pour cela. Et nous savons qu'entre-temps nous traverserons un certain nombre de crises.

« La première de ces crises est survenue cinquante ans après l'établissement de la Fondation, et la seconde, trente ans plus tard. Près de soixante-quinze ans ont passé depuis lors. Le moment est venu, Manlio, le moment est venu. »

Manlio se frottait le nez d'un air perplexe. « Et vous avez pris vos dispositions pour faire face à la crise en question ? »

Sutt acquiesça.

« Et moi, reprit Manlio, j'ai un rôle à jouer ? »

Sutt fit de nouveau un signe de tête affirmatif. « Avant que nous puissions affronter la menace que constitue cette puissance atomique étrangère, nous devons mettre de l'ordre dans la maison. Ces Marchands...

— Ah ! fit le primat.

— Oui, les Marchands. Ils sont utiles, mais ils sont trop forts, et trop indisciplinés. Ce sont des provinciaux, élevés en dehors de la religion. D'une part, nous les initions, d'autre part, nous supprimons le seul contrôle valable que nous ayons sur eux.

— Et nous pouvons faire la preuve de leur trahison ?

— Si c'était possible, il serait très simple de prendre des mesures directes. Mais rien ne prouve qu'il y ait eu des fuites. Cependant, même s'ils n'ont pas trahi, ils représentent un élément instable dans notre société. Ils ne sont pas liés à nous par des questions de patriotisme, de consanguinité ni même de communauté de croyance religieuse. Sous leur gouvernement laïque, les provinces extérieures qui, depuis Hardin, nous considèrent comme la planète sacrée, risquent de faire sécession.

— Je vois bien tout cela, mais le remède...

— Le remède doit intervenir vite, avant que la crise Seldon n'atteigne sa phase aiguë. Si nous nous heurtons à des armes atomiques à l'extérieur et à la méfiance à l'intérieur, je nous joue perdants. » Sutt reposa la coupe qu'il faisait tourner entre ses doigts. « C'est de toute évidence une tâche qui vous incombe.

— A moi ?

— Bien sûr. Je ne peux rien faire. Je n'ai aucune autorité légale.

— Mais le Maire...

— Impossible. C'est une personnalité entièrement négative. Il ne déploie d'énergie que pour fuir ses responsabilités. Si un parti indépendant se formait pourtant, qui risque de compromettre sa réélection, peut-être se laisserait-il convaincre.

— Mais, Sutt, je ne suis pas un politicien.

— Ne vous inquiétez pas, Manlio. Qui sait ? Depuis Salvor Hardin, personne n'a jamais occupé à la fois les fonctions de Maire et de primat. Mais cela pourrait se faire... si vous réussissez. »

III

A l'autre bout de la ville, dans un cadre moins somptueux, Hober Mallow, lui aussi, avait un rendez-vous. Il venait d'écouter longtemps son interlocuteur. Quand celui-ci eut terminé, ils risqua : « Oui, je sais que depuis un certain temps déjà vous réclamez que les Marchands soient représentés au sein du Conseil. Mais pourquoi moi, Twer ? »

Jaim Twer, qui ne manquait jamais de rappeler à qui voulait l'entendre qu'il avait été parmi les premiers provinciaux à recevoir à la Fondation une éducation laïque, eut un large sourire.

« Je sais ce que je fais, dit-il. Souvenez-vous de notre première rencontre, l'an dernier.

— Au Congrès des Marchands.

— C'est cela. Vous présidiez. Vous avez rivé leur clou à tous ces lourdauds et vous les avez sans aucun mal mis dans votre poche. Vous êtes également bien vu des gens de la Fondation. Vous êtes une personnalité, ou du moins vous êtes connu, ce qui revient au même.

— Bon, fit Mallow, sèchement. Mais pourquoi maintenant ?

— Parce que c'est maintenant qu'il faut saisir notre chance. Savez-vous que le secrétaire à l'Education a donné sa démission ? Ce n'est pas officiel, mais cela le sera bientôt.

— Comment le savez-vous alors ?

— Peu importe, fit l'autre, avec un geste tranchant. C'est ainsi. Le parti actionniste est violemment divisé et nous pouvons lui donner le coup de grâce en posant carrément la question de l'égalité des droits des Marchands. »

Mallow s'étira dans son fauteuil en regardant le bout de ses doigts. « Hmm. Désolé, Twer. Je pars la semaine prochaine : voyage d'affaires.

— Voyage d'affaires ? fit Twer, surpris. Quelles affaires ?

— Ultra-secret. Priorité trois A. Enfin, le grand jeu. Je viens de voir le secrétaire du Maire.

— Cette canaille de Sutt ? s'exclama Jaim Twer. C'est une machination, un coup monté par cette vipère pour se débarrasser de vous. Mallow...

— Du calme, fit Mallow. Ne vous énervez pas comme ça. Si c'est un coup monté, je lui revaudrai ça un jour. Sinon, votre vipère de Sutt fait notre jeu. Ecoutez-moi bien : nous sommes à la veille d'une crise Seldon. »

Mallow attendit la réaction de Twer, mais celui-ci se

contenta de répéter d'un air incrédule : « Qu'est-ce qu'une crise Seldon ?

— Galaxie ! tonna Mallow, furieux. Qu'est-ce que vous avez appris à l'école ? Comment pouvez-vous me poser une question pareille ? »

L'autre se rembrunit : « Si vous voulez bien m'expliquer... »

Il y eut un très long silence, puis Mallow reprit d'un ton plus calme : « Très bien, je vais vous expliquer... Quand a commencé la décadence de l'Empire Galactique, et que les régions extérieures de la Galaxie ont sombré l'une après l'autre dans la barbarie, Hari Seldon et son équipe de psychologues ont installé une colonie, la Fondation, ici même, en pleine région menacée, de façon que nous puissions préserver l'art, la science et la technique de la civilisation mourante et former le noyau du second Empire.

— Ah ! oui, oui...

— Je n'ai pas fini, dit le Marchand très sec. L'avenir de la Fondation fut déterminé suivant les équations de la psychohistoire, et on créa les circonstances susceptibles de provoquer une série de crises qui nous pousseront plus vite sur la route du nouvel Empire. *Chaque crise Seldon* marque une époque de notre histoire. Nous sommes maintenant à la veille de la troisième.

— Bien sûr, dit Twer. J'aurais dû m'en souvenir. Mais il y a si longtemps que j'ai quitté le collège... bien plus longtemps que vous.

— Sans doute. Enfin, cela ne fait rien. Ce qui importe, c'est que l'on m'envoie en mission alors que la crise va atteindre son paroxysme. L'Espace sait avec quels renseignements je rentrerai, et tous les ans il y a des élections au Conseil. »

Twer leva les yeux. « Vous êtes sur une piste ?

— Non.

— Vous avez des plans ?

— Pas le moindre.

— Alors...

— Alors, rien. Hardin a dit un jour : « Pour réussir, il ne suffit pas de prévoir. Il faut aussi savoir improviser. » Eh bien, j'improviserai. »

Twer hocha la tête d'un air dubitatif.

« Tenez, dit soudain Mallow. voilà ce que je vous propose : venez avec moi. Ne me regardez pas avec des yeux ronds. Vous avez été Marchand avant de décider que la politique était plus distrayante. On me l'a dit, du moins.

— Où allez-vous ?

— Du côté de l'Amas de Whassalie. Je ne peux pas vous donner plus de précisions avant que nous ayons pris l'Espace. Alors, qu'en dites-vous ?

— Et si Sutt veut m'avoir à l'œil ici ?

— C'est peu probable. S'il tient à se débarrasser de moi, il sera trop heureux de vous voir vous éloigner aussi. Et d'ailleurs, un Marchand qui prend l'espace a le droit de choisir son équipage. J'emmène qui bon me semble. »

Une lueur étrange brilla dans les yeux du vieil homme. « D'accord, je vous accompagne. » Il tendit la main à Mallow. « Mon premier voyage depuis trois ans. »

Mallow lui serra la main. « Bon ! Maintenant, il faut que je rassemble les autres. Vous savez où est garé le *Far Star,* n'est-ce pas ? Alors, à demain. Au revoir. »

IV

Korell constituait un de ces phénomènes fréquents en histoire : une république dont le chef a tous les attributs d'un monarque absolu sauf le nom. Elle vivait donc sous un régime despotique que ne parvenaient même pas à tempérer les deux influences généralement modératrices des monarchies légitimes : l' « honneur » royal et l'étiquette de la cour.

Du point de vue matériel, Worell n'était pas un Etat prospère. Le temps de l'Empire Galactique était révolu sans qu'il en restât autre chose que des monuments silencieux et des palais en ruine. Le temps de la Fondation n'était pas encore advenu : et le Commodore Asper Argo était bien résolu à empêcher sa venue en continuant de réglementer strictement les activités des Marchands et d'interdire aux missionnaires l'accès de son territoire.

L'astroport lui-même était délabré et décrépit et l'équipage du *Far Star* nota le fait sans plaisir. Jaim Twer, dans sa cabine, poursuivait mélancoliquement une réussite.

« Il y a de quoi travailler ici », fit Hober Mallow d'un air songeur, en regardant le paysage qu'on apercevait par le hublot. Jusqu'ici ils n'avaient pas grand-chose à dire de Korell. Le voyage s'était déroulé sans incident. L'escadrille d'appareils korelliens qui s'était portée au-devant du *Far Star* pour l'intercepter ne comprenait que des engins démodés, vestiges d'une grandeur passée. Ils avaient craintivement maintenu leurs distances et continuaient à observer une attitude de méfiance respectueuse ; cela faisait une semaine maintenant que les demandes d'audience de Mallow demeuraient sans réponse.

« Oui, il y aurait de quoi travailler, répéta Mallow. C'est ce qu'on appelle un secteur vierge. »

Jaim Twer leva les yeux et repoussa ses cartes d'un geste impatient. « Que comptez-vous faire, Mallow ? L'équipage gronde, les officiers sont inquiets et moi-même je commence à me demander...

— A vous demander quoi ?

— Ce qui va se passer. Quels sont vos projets ?

— Attendre. »

Le vieux Marchand ne put se contenir davantage. « Vous êtes aveugle, Mallow. Le terrain est gardé et des appareils patrouillent sans cesse au-dessus de nos têtes. Et s'il leur prenait l'idée de nous bombarder ?

— Ils ont eu toute une semaine pour le faire.

— Ils attendent peut-être des renforts. »

Mallow s'assit lourdement. « Bien sûr, j'y ai pensé. Oh ! la situation n'est pas simple, je m'en rends compte. D'abord, nous arrivons ici sans encombre. Peut-être que cela ne veut rien dire puisque, l'an dernier, trois astronefs seulement sur plus de trois cents ont eu des difficultés. C'est un pourcentage bien faible. Mais, d'un autre côté, ils n'ont peut-être que peu d'appareils équipés d'armes atomiques et ils n'osent pas les exposer inutilement tant qu'ils ne sont pas plus nombreux.

« Cela pourrait aussi vouloir dire qu'ils ne possèdent pas d'équipement atomique du tout. Ou bien qu'ils en ont et qu'ils le cachent pour que nous n'en sachions rien. C'est une chose en effet de jouer les pirates avec des appareils marchands faiblement armés et c'en est une autre que de se mesurer avec un envoyé officiel de la Fondation alors que sa seule présence peut être un signe que la Fondation commence à avoir des doutes. Ajoutez à cela...

— Attendez, attendez, Mallow, fit Twer avec un geste de protestation. Vous êtes en train de m'inonder de paroles. Où voulez-vous en venir ? Allons au fait.

— Il faut bien que je vous expose la situation avec quelque détail, sinon vous ne comprendriez pas, Twer. Nous attendons tous, eux et moi. Ils ne savent pas ce que je viens faire ici, et je ne sais pas quels sont leurs plans. Mais je suis dans une situation d'infériorité parce que je suis seul contre toute une planète... qui possède peut-être l'énergie atomique. Je ne peux pas me permettre d'être celui qui faiblit le premier. Bien sûr, c'est dangereux : ils peuvent très bien décider tout d'un coup que la plaisanterie a assez duré et se mettre à nous bombarder. Mais cela nous le savions en partant. Quelle autre solution avons-nous ?

— Je ne... Allons, qu'est-ce que c'est que ça maintenant ? »

Mallow, répondant à la discrète sonnerie du vibraphone, tourna le bouton du récepteur, et le visage du sergent de quart apparut sur l'écran.

« Je vous écoute, sergent.

— Excusez-moi, commandant. Les hommes viennent de faire entrer un missionnaire de la Fondation.

— Un *quoi* ? fit Mallow, pâlissant.

— Un missionnaire, commandant. Il est plutôt mal en point...

— Je crains qu'il ne soit pas le seul d'ici quelque temps, sergent. Que chacun prenne place à son poste de combat. »

Le carré de l'équipage était presque vide. Cinq minutes après l'ordre lancé par Mallow, même les hommes qui n'étaient pas de quart étaient en position près de leurs pièces. La rapidité en effet était la qualité la plus appréciée dans ces régions perdues de la Périphérie, et nulle part cette qualité n'était mieux répandue que parmi les équipages des appareils marchands.

Mallow entra dans la salle et examina longuement le missionnaire. Puis son regard se posa sur le lieutenant Tinter qui se dandinait d'un pied sur l'autre d'un air gêné, et sur le sergent de quart Demen, qui attendait, impassible.

Se tournant enfin vers Twer, il dit : « Twer, convoquez l'équipage ici, à l'exception des coordinateurs et du trajectoriste. Que ces hommes restent à leur poste jusqu'à nouvel avis. »

Quelques minutes s'écoulèrent, durant lesquelles Mallow ouvrit les portes des toilettes, regarda derrière le bar, tira les lourds rideaux devant les hublots. Il sortit quelques instants mais revint bientôt en fredonnant.

L'équipage fit son entrée, Twer fermait la marche.

« Tout d'abord, fit Mallow sans élever la voix, qui a introduit cet homme ici sans me consulter ? »

Le sergent de quart s'avança. Tous les regards aussitôt se portèrent sur lui. « Ce n'est pas l'un plutôt que l'autre, commandant, dit-il. Ç'a été une sorte d'accord tacite. Vous comprenez, c'était un compatriote. Au milieu de tous ces étrangers...

— Je comprends vos sentiments, sergent, et je les partage, fit Mallow sèchement. Ces hommes étaient sous vos ordres ?

— Oui, commandant.

— Ils sont tous aux arrêts pour la semaine. Vous-même êtes relevé de vos fonctions pour la même période. Compris ? »

Le visage du sergent demeura impassible, mais ses épaules parurent s'affaisser imperceptiblement.

« Oui, commandant, fit-il.

— Vous pouvez disposer. Que chacun regagne son poste. »

La porte se referma derrière eux et le murmure des conversations reprit.

« Pourquoi cette punition, Mallow ? demanda Twer. Vous savez bien que les Korelliens tuent les missionnaires qui tombent entre leurs mains.

— Toute mesure prise sans que j'en aie donné l'ordre est condamnable, quels que soient les motifs qui militent en sa faveur. Personne ne devait pénétrer à bord ni en descendre sans mon autorisation.

— Sept jours d'inaction, murmura le lieutenant Tinter d'un ton maussade. Vous ne pouvez pas compter maintenir la discipline de cette façon.

— Figurez-vous que si, déclara Mallow, glacial. Il n'y a aucun mérite à maintenir la discipline dans des circonstances idéales. J'entends la maintenir même si nous nous trouvons en danger de mort, sinon c'est inutile. Où est ce missionnaire ? Qu'on me l'amène. »

Le Marchand s'assit, tandis qu'on faisait s'avancer vers lui un personnage drapé dans une robe rouge.

« Comment vous appelez-vous, mon révérend ?

— Pardon ? » L'homme se tourna vers Mallow, avec une raideur d'automate. Il avait le regard vide et un bleu sur la tempe.

« Votre nom, vénéré ? »

Le missionnaire s'anima soudain. Il écarta les bras dans un geste théâtral : « Mon fils... mes enfants. Que l'Esprit Galactique continue de vous accorder sa protection. »

Twer s'approcha et dit d'une voix rauque : « Cet homme est malade, envoyez-le se faire examiner par le médecin du bord. Il est blessé. »

Mallow le repoussa d'un geste. « Ne me gênez pas, Twer, ou je vous fais expulser. Votre nom, vénéré ? »

Le missionnaire joignit les mains d'un air suppliant. « Vous qui êtes des esprits éclairés, sauvez-moi des païens. Sauvez-moi de ces brutes qui me poursuivent et qui veulent rendre l'Esprit Galactique responsable de leurs crimes. Je suis Jord Parma, d'Anacréon. J'ai été élevé sur la Fondation, sur la Fondation elle-même, mes enfants. Je suis un prêtre de l'Esprit initié à tous les mystères, et je suis venu ici appelé par ma vocation. J'ai souffert aux mains des ignorants, continua-t-il d'une voix haletante. Vous qui êtes des enfants de l'Esprit, au nom de la Galaxie, protégez-moi de leurs entreprises. »

Une voix retentit soudain venant du haut-parleur d'alarme :

« Ennemis en vue ! Demandons instructions ! »

Mallow poussa un juron. Manœuvrant le levier de réponse, il cria : « Restez à vos postes ! C'est tout ! » et il coupa le contact.

Se dirigeant alors vers les lourdes tentures qui masquaient le hublot, il les écarta et regarda dehors.

Une foule de plusieurs milliers de Korelliens cernait l'astroport et, à la lueur aveuglante des torches au magnésium, on pouvait voir les premiers rangs s'approcher de l'appareil.

« Tinter ! fit Mallow. Branchez le mégaphone extérieur et tâchez de savoir ce qu'ils veulent. Demandez-leur s'ils ont parmi eux un représentant de l'ordre. Ne faites ni promesses ni menaces, sinon je vous abats ! »

Tinter tourna les talons et sortit.

Mallow sentit une main se poser sur son épaule ; c'était celle de Twer ; d'une secousse, il l'écarta, mais l'autre insista. « Mallow, fit-il d'une voix sifflante, vous devez protéger cet homme. Agir autrement serait contraire à tous les principes d'honneur et de patriotisme. Il est de la Fondation, après tout, et c'est un prêtre par-dessus le marché. Ces sauvages... vous les entendez ?

— Je vous entends, vous, Twer, fit Mallow d'une voix cinglante. Je ne suis pas ici pour sauver des missionnaires. J'agirai comme bon me semblera et, par Seldon et par la Galaxie, si vous essayez de m'arrêter, je vous assomme sur place. Ne vous mettez pas sur mon chemin, ou vous êtes un homme mort.

« Et vous ! continua-t-il en se tournant vers le missionnaire. Vous, révérend Parma ! Vous ne saviez donc pas que, par convention, aucun missionnaire de la Fondation ne peut pénétrer en territoire korellien ? »

Le missionnaire tremblait. « Je ne puis aller que là où m'appelle l'Esprit, mon fils. Si les mécréants refusent de se laisser éclairer, n'est-ce pas un signe encore plus marqué du besoin qu'ils en ont ?

— La question n'est pas là, mon révérend. Vous êtes ici en violation des lois de Korell et de la Fondation. Je ne puis légalement vous protéger. »

Le missionnaire leva les mains. On entendait maintenant la clameur rauque du mégaphone extérieur, et les haut-parleurs transmettaient les vociférations de la foule déchaînée. A ce bruit, une expression de terreur se peignit sur le visage du prêtre.

« Vous les entendez ? Pourquoi me parlez-vous de loi, de loi humaine ? Il existe des lois d'un ordre plus élevé. N'est-ce pas l'Esprit Galactique qui a dit : « Tu ne laisseras pas léser ton semblable sans intervenir. » Et n'a-t-il pas dit aussi : « Comme tu traiteras les humbles et les faibles, ainsi seras-tu traité. »

« Vous n'avez donc pas de canons ? N'avez-vous pas derrière vous la Fondation ? Et au-dessus de vous n'y a-t-il pas l'Esprit qui gouverne l'univers ? » Il s'arrêta pour reprendre haleine.

Le mégaphone se tut et le lieutenant Tinter revint, l'air embarrassé.

« Parlez ! fit Mallow, sèchement.

— Commandant, ils exigent qu'on leur livre Jord Parma.

— Et sinon ?

— Ils profèrent des menaces, commandant, mais il est difficile de savoir où ils veulent en venir : ils sont si nombreux, ils ont l'air déchaînés. Il y a quelqu'un qui prétend qu'il est gouverneur du district et qu'il dirige les forces de police de la région, mais de toute évidence il n'est plus maître de la situation.

— Maître ou non, dit Mallow, il représente la loi et l'ordre. Dites-leur que si ce gouverneur, ou ce chef de la police, je ne sais, s'approche seul de notre appareil, le révérend Jord Parma lui sera livré. »

En achevant sa phrase, il avait dégainé son revolver atomique. « J'ignore, continua-t-il, ce que c'est que l'insubordination. Je n'en ai jamais vu d'exemple. Mais s'il y a quelqu'un ici qui croie avoir des leçons à me donner, je me réserve de lui administrer un antidote de ma composition. »

Le canon du revolver balaya lentement la salle et se braqua sur Twer. Au prix d'un immense effort, le vieux Marchand se maîtrisa et ses mains s'abaissèrent le long de son corps.

Tinter sortit et, cinq minutes plus tard, une silhouette minuscule se détacha de la foule ; elle approcha à pas lents et craintifs. A deux reprises, le délégué s'arrêta, et à deux reprises, il reprit sa marche, poussé par le monstre aux mille têtes qui le pressait.

« Allons », fit Mallow sans lâcher son arme toujours dégainée. « Grum et Upshur, emmenez-le. »

Le missionnaire se mit à hurler. Il brandit les mains vers le ciel, et les manches flottantes de sa robe s'écartèrent, révélant des bras maigres et sillonnés de veines. Une lueur un instant brilla au-dessus de sa tête puis s'éteignit.

Tandis que les soldats l'entraînaient, le révérend Parma emplissait la salle de ses lamentations : « Maudit soit le traître qui abandonne son semblable au malheur et à la mort. Que les oreilles qui demeurent sourdes aux plaintes du malheureux soient frappées de surdité. Que les yeux qui restent aveugles devant l'innocence soient à jamais plongés dans la nuit. Que soit vouée à d'éternelles ténèbres l'âme qui se laisse gagner par les maléfices de l'ombre... »

Twer porta nerveusement les mains à ses oreilles pour ne plus entendre.

Mallow fit sauter son arme dans sa main, puis la rengaina. « Que chacun regagne son poste, dit-il sans se démonter. Maintenez la garde six heures après que la foule sera dispersée. Renforcez pour quarante-huit heures les effectifs des hommes de quart. Je vous donnerai de nouvelles instructions plus tard. Twer, venez avec moi. »

Ils étaient seuls dans la cabine de Mallow. Celui-ci désigna un fauteuil et Twer s'assit. Son corps massif semblait s'être ratatiné.

Mallow le toisa d'un regard ironique. « Twer, dit-il, je suis déçu. Vos trois ans de vie politique semble vous avoir fait perdre vos habitudes de Marchand. Ne l'oubliez pas, je suis peut-être un démocrate quand nous sommes à la Fondation, mais seule la tyrannie la plus rigoureuse me permet de mener mon astronef comme je l'entends. Jamais encore je n'avais eu à dégainer mon arme devant mes hommes, et je n'aurais pas eu à le faire si vous n'étiez pas inopportunément intervenu.

« Vous n'avez ici aucune position officielle : vous êtes mon invité et je ferai tout pour vous être agréable... dans le privé. Mais dorénavant, en présence des officiers et de l'équipage, je veux être Commandant et non pas Mallow. Et quand je donne un ordre, vous obéirez avec l'ardeur d'une jeune recrue, sinon, je vous fais jeter aux fers. C'est compris ? »

Twer avait la gorge serrée. Il réussit enfin à articuler : « Toutes mes excuses !

— Je les accepte ! Une poignée de main ? »

Twer sentit sa main disparaître dans la grande paume de Mallow. « Mes motifs étaient défendables, dit-il. Il est difficile d'envoyer un homme se faire lyncher. Ce n'est sûrement pas ce gourverneur ou ce commissaire aux jambes en coton qui le sauvera. C'est un meurtre.

— Je n'y peux rien. Franchement, les choses commençaient à mal tourner. Vous n'avez pas remarqué ?

— Remarqué quoi ?

— Cet astroport est situé dans une zone bien peu animée. Or, brusquement un missionnaire s'évade. D'où ? Il arrive ici. Aussitôt, une foule s'amasse. Venant d'où ? La ville la plus proche est à plus de cent cinquante kilomètres. Et pourtant, il ne leur a pas fallu plus d'une demi-heure pour être tous là. Comment ont-ils fait ?

— Comment ? répéta Twer comme un écho.

— Et si ce missionnaire n'avait été relâché que pour servir d'appât ? Notre ami, le révérend Parma, s'exprimait de façon fort confuse. Il ne semblait pas en pleine possession de ses facultés.

— Les mauvais traitements..., murmura Twer.,

— C'est possible ! Supposez un instant que, saisis d'une fringale de chevalerie, nous nous soyons faits les vaillants défenseurs de cet homme. Il était ici en violation des lois de Korell et de la Fondation. Si je lui avais donné asile, j'aurais commis un acte d'hostilité envers Korell, et la Fondation n'aurait pas eu le droit de nous défendre.

— Ce... cela me paraît un peu tiré par les cheveux. »

Le visiphone se mit en action avant que Mallow ait pu répliquer : « Commandant, nous venons de recevoir un message important.

— Transmettez immédiatement ! »

Le cylindre brillant arriva presque aussitôt par le conduit pneumatique. Mallow l'ouvrit et en tira la feuille argentée qu'il contenait. Il l'examina rapidement et annonça : « Téléporté en direct de la capitale. C'est le papier à lettre personnel du Commodore. »

Il lut le message et éclata de rire : « Vous disiez, n'est-ce pas, que mon raisonnement était un peu tiré par les cheveux ? »

Il lança la feuille à Twer, commentant : « Une demi-heure après que nous avons livré le missionnaire, nous recevons enfin une invitation fort courtoise nous priant de nous rendre devant le Commodore... Après sept jours d'attente, je crois, moi, que nous avons victorieusement franchi l'épreuve. »

V

Le Commodore Asper se proclamait un homme du peuple. Ce qu'il lui restait de chevelure grise tombait mollement sur ses épaules, sa chemise aurait eu besoin d'un coup de fer, et il parlait d'un ton nasillard.

« Pas de vaine ostentation ici, Maître Mallow, dit-il. Pas de tape-à-l'œil. Vous voyez en moi le premier citoyen de l'Etat. C'est ce que signifie le titre de Commodore, le seul que je porte. »

Il semblait extrêmement content de cette remarque.

« Je considère que c'est là un des liens les plus forts qui unissent Korell et votre nation. Je crois comprendre que votre nation vit aussi en république.

— Exactement, Commodore, dit gravement Mallow,

voilà, me semble-t-il, qui milite en faveur d'une paix et d'une amitié durables entre nos gouvernements.

— Ah ! la paix ! fit le Commodore, d'un air paterne. Je ne crois pas qu'il y ait personne dans toute la Périphérie à qui soit aussi cher qu'à moi l'idéal de la paix. Je puis dire que depuis que j'ai succédé à mon illustre père à la tête de l'Etat, jamais le règne de la paix n'a connu d'interruption. Peut-être ne devrais-je pas le dire, ajouta-t-il, avec une petite toux satisfaite, mais on m'a affirmé que j'étais connu parmi mes concitoyens sous le sobriquet d'Asper le Bien-Aimé. »

Le regard de Mallow erra sur le parc aux allées bien dessinées. Peut-être les grands gaillards et les armes étranges mais sûrement redoutables qu'ils portaient n'étaient-ils là qu'à titre de précaution durant la visite de l'étranger. Mais les hautes murailles bardées d'acier qui entouraient le palais venaient manifestement d'être renforcées... souci bien peu compréhensible de la part d'un Asper le Bien-Aimé.

« Il est heureux, dit Mallow, que j'aie affaire à vous, Commodore. Les despotes et les petits monarques des mondes voisins manquent souvent des qualités qui rendent un chef populaire.

— Quelles qualités, par exemple ? s'enquit le Commodore, d'un ton où perçait la méfiance.

— Oh ! le souci des intérêts de leur peuple, par exemple. C'est là une chose que vous comprenez, tous. »

Le Commodore gardait les yeux fixés sur le sable de l'allée. Et, tout en marchant, il frottait ses mains l'une contre l'autre derrière son dos.

« Jusqu'ici, reprit Mallow d'une voix suave, le commerce entre nos deux nations a souffert des restrictions imposées à nos Marchands par votre gouvernement. Vous avez bien dû vous rendre compte depuis longtemps que le commerce sans restriction...

— Le libre échange ! grommela le Commodore.

— Le libre échange, si vous voulez. Nos deux pays ne pourraient qu'en profiter. Vous possédez des choses dont nous manquons et nous en possédons qui vous font défaut. Il suffirait d'un échange pour apporter la prospérité aux deux parties. Un chef aussi éclairé que vous, un ami du peuple — un homme du peuple, si je puis me permettre — n'a pas besoin qu'on insiste sur ce point. Je n'insulterai pas à votre intelligence en poursuivant sur ce sujet.

— Certes, je l'ai compris depuis longtemps. Mais que voulez-vous ? dit le Commodore d'un ton plaintif, vos compatriotes ont toujours été si déraisonnables. Je suis partisan de relations commerciales, mais pas dans les conditions qu'ils exigent. Je ne suis pas le seul maître ici. Je ne suis que le serviteur de l'opinion publique. Mon peuple n'acceptera pas un commerce qui se pratique dans la pourpre et l'or.

— Vous voulez dire que nous imposons notre religion ? fit Mallow, en se redressant.

— Vous ne sauriez le nier. Vous vous souvenez bien du cas d'Askone, voilà vingt ans. Les Askoniens ont commencé par acheter certaines de vos marchandises, et puis vos compatriotes ont demandé qu'on leur octroie toute liberté dans le domaine missionnaire, afin qu'ils puissent enseigner la meilleure utilisation du matériel que vous vendiez ; ils ont exigé la construction de Temples de Santé. Puis ce fut l'institution de collèges religieux ; l'autonomie pour tous les officiants de la religion. Et où tout cela a-t-il mené ? Askone fait maintenant partie intégrante du système de la Fondation et le Grand Maître ne peut même plus prendre l'initiative de lever le petit doigt tout seul. Non, non ! Un peuple indépendant et digne ne pourrait jamais tolérer cela.

— Ce n'est pas du tout ce que je compte vous proposer, protesta Mallow.

— Non ?

— Je suis un Maître Marchand. Ma religion à moi, c'est l'argent. Tout ce mysticisme, toutes ces histoires de missionnaires m'ennuient, et je suis ravi de voir que vous avez la même opinion que moi là-dessus. Cela nous rapproche encore.

— Voilà qui est parlé ! fit le Commodore avec un rire grêle. La Fondation aurait dû envoyer plus tôt un homme comme vous. »

Il posa sur l'épaule du Marchand une main amicale.

« Mais, mon cher, vous n'avez encore fait que m'expliquer ce que *n'était pas* votre proposition : dites-moi un peu en quoi elle consiste.

— La vérité, Commodore, est tout bonnement que vous allez crouler sous les richesses.

— Ah oui ? » L'autre renifla. « Mais qu'en ferais-je ? La plus grande et la plus valable des richesses est l'amour d'un peuple. Et de cela je ne suis pas privé.

— Rien ne vous empêcherait d'amasser de l'or d'une part et l'amour du peuple de l'autre.

— Voilà qui serait intéressant, mon jeune ami. Et comment m'y prendrais-je ?

— Oh ! il y a plusieurs façons. Le difficile, c'est de choisir. Voyons... Il y a les articles de luxe, par exemple... Ainsi, cet objet... »

Mallow tira de sa poche une chaîne métallique aux anneaux plats. « Cet objet, par exemple.

— Qu'est-ce ?

— Cela demande une démonstration. Il nous faudrait une femme, n'importe laquelle, mais qu'elle soit jeune. Et une glace, en pied.

— Hmm... En ce cas, rentrons. »

Le Commodore appelait le lieu où il habitait une maison. Le bas peuple devait sans aucun doute le qualifier de palais. Pour Mallow, c'était une forteresse. Elle était construite sur une hauteur qui dominait la capitale. Les murs étaient épais et fortifiés. Les approches étaient gardées et il y avait des meurtrières dans les parois. Tout à fait l'habitation qui convenait à Asper le Bien-Aimé.

Une jeune fille se tenait devant eux. Elle s'inclina profondément devant le Commodore qui dit : « C'est une des suivantes de ma femme. Est-ce qu'elle fera l'affaire ?

— Parfaitement ! »

Le Commodore regarda avec attention Mallow attacher la chaîne autour de la taille de la jeune fille, puis reculer.

« Eh bien, dit-il, d'un ton impatient, c'est tout ?

— Voulez-vous tirer le rideau, Commodore ? Mademoiselle, vous allez trouver un petit bouton près du fermoir. Appuyez dessus, je vous prie. Allez, cela ne vous fera aucun mal. »

La jeune fille obéit, un peu haletante, puis regarda ses mains et s'exclama : « Oh ! »

Partant de sa taille, une lumière pâle et de couleur changeante venait de jaillir et l'enveloppait qui remonta jusqu'à sa tête où elle forma une petite couronne de flammes liquides. On aurait dit qu'elle venait de se faire un manteau d'un fragment d'aurore boréale.

La jeune fille s'approcha du miroir et se contempla, fascinée.

— Tenez, prenez ceci. » Mallow lui tendit un collier de pierres sans éclat. « Mettez-le autour de votre cou. »

Elle obéit, et chacune des pierres, lorsqu'elle fut baignée par la luminescence étrange, devint flamme de pourpre et d'or.

« Eh bien, qu'en pensez vous ? » lui demanda Mallow. La jeune fille ne répondit pas, mais dans ses yeux il y avait de l'adoration. Le Commodore fit un geste et, à contrecœur, elle appuya de nouveau sur le bouton et tout l'éclat aussitôt s'évanouit. La jeune fille partit... l'air fort préoccupé.

« Prenez ces objets, dit Mallow. C'est un modeste cadeau de la Fondation pour le Commodore.

— Hmm... » Le Commodore parut soupeser chaîne et collier entre ses mains. « Comment les fabriquez-vous ? »

Mallow haussa les épaules. « Il faut demander cela à nos techniciens. Mais cela marche — et j'insiste sur ce point — *sans* l'aide de prêtres.

— Mais, après tout, ce n'est qu'une bagatelle pour des femmes. Comment comptez-vous faire de l'argent avec cela ?

— Vous donnez bien des bals, des réceptions, des banquets ?

— Oh ! oui.

— Vous rendez-vous compte de ce que les femmes paieront ce genre de bijoux ? Dix mille crédits, au moins. »

Le Commodore parut satisfait.

« Et, comme la pile que renferme chacun des bijoux ne

peut fonctionner plus de six mois, il faudra les remplacer. Nous pouvons vous en vendre tant que vous voulez pour l'équivalent de mille crédits en fer usiné. Votre bénéfice sera de neuf cents pour cent. »

Le Commodore se grattait la barbe, plongé, semblait-il, dans de profonds calculs. « Galaxie ! mais elles vont se les arracher. Et je leur tiendrai la dragée haute, je n'en lancerai que peu à la fois sur le marché. Mais, évidemment, il ne faut pas qu'elles sachent que c'est moi personnellement qui... »

Mallow dit : « Nous vous expliquerons comment on monte une société anonyme, si vous voulez. Et, par la suite, nous aurons une foule d'articles ménagers à vous offrir : des fours démontables qui cuisent en deux minutes les viandes les plus dures ; des couteaux qu'on n'a pas besoin d'aiguiser ; des buanderies entières qui tiennent dans un petit placard et fonctionnent automatiquement ; des laveurs de vaisselle ; des frotteuses de parquets, des polisseuses de meubles, des absorbeurs de poussière, des appareils d'éclairage, enfin tout ce que vous voudrez. Imaginez votre popularité si c'est vous qui mettez tous ces objets à la disposition du public. Imaginez de combien vous pourrez accroître vos... euh... biens terrestres, s'ils sont vendus sous monopole d'État avec un bénéfice de 900 %. Le prix de vente ne sera pas encore excessif, et nul n'a besoin de savoir ce que vous y gagnez. Et, je le répète, pour tout ce commerce, vous n'aurez pas besoin de la supervision des prêtres. Tout le monde sera content.

— Excepté vous. Qu'est-ce que vous tirez, vous, de tout cela ?

— Ce que tout Marchand tire de ses marchandises suivant la loi de la Fondation. Mes hommes et moi encaisserons la moitié de nos bénéfices. Achetez ce que je veux vous vendre, et nous n'aurons à nous en plaindre ni l'un ni l'autre. »

Le Commodore paraissait ravi des idées qui passaient dans sa tête. « Et vous disiez que vous vouliez être payé en fer ?

— Oui, et en charbon, et en bauxite. Et aussi en tabac,

en poivre, en magnésium, et en bois dur. Toutes choses que vous possédez en abondance.

— Cela paraît avantageux.

— Il me semble. Autre chose, pendant que j'y suis, Commodore. Je pourrais rééquiper vos usines.

— Quoi ? Comment cela ?

— Eh bien, prenez vos fonderies, par exemple. J'ai des petits appareils très pratiques qui peuvent faire diminuer vos prix de revient de 99 %. En diminuant vos prix de vente de moitié, il vous restera encore un intéressant bénéfice à partager avec les producteurs. Vous comprendriez très bien ce que je veux dire si vous me laissiez faire une démonstration. Est-ce que vous avez une fonderie dans la capitale ? Cela ne prendrait pas longtemps.

— Cela peut s'arranger, Mallow. Mais demain, demain. Accepterez-vous de dîner avec nous ce soir ?

— Mes hommes... commença Mallow.

— Qu'ils viennent tous, fit le Commodore avec un geste large. Cela symbolisera l'amitié qui unit nos deux pays et nous permettra de poursuivre cette discussion en toute tranquillité. Une seule chose... » (son visage devint grave) « je ne veux pas entendre parler de religion. Ne vous imaginez surtout pas que vous allez ouvrir une brèche pour vos missionnaires.

— Commodore, dit Mallow, très sec, je vous donne ma parole que la religion ne pourrait que diminuer mes bénéfices.

— Alors, tout va bien. On va maintenant vous reconduire à votre astronef. »

VI

La femme du Commodore était beaucoup plus jeune que son mari. Elle avait un visage très pâle et froid, et ses cheveux noirs étaient sévèrement tirés en arrière.

Sa voix était aigre. « Vous avez fini, mon gracieux et

noble époux ? Vous êtes sûr ? Je suppose que je peux même entrer dans le jardin maintenant si je le désire.

— Inutile de faire une scène, ma chère Licia, dit le Commodore aimablement. Ce jeune homme vient dîner ce soir et vous pourrez lui parler tant que vous voudrez et même vous amuser en écoutant tout ce que je dirai. Il faudra trouver un endroit où faire asseoir tous ces hommes. Espérons qu'ils ne seront pas trop nombreux.

— Ce seront probablement des rustres qui mangeront des quartiers de viande entiers et boiront le vin à la cruche. Et vous vous lamenterez au moins deux nuits quand vous saurez ce que le repas aura coûté.

— Peut-être pas. Et, pourtant, je veux un repas plantureux.

— Oh ! oh ! » Elle le considéra avec mépris. « Vous êtes très amical avec ces barbares. C'est pour cela peut-être que je n'ai pas été autorisée à assister à votre conversation. Votre petit esprit retors a peut-être formé le projet de se retourner contre mon père.

— Absolument pas.

— J'aimerais vous croire. Si jamais une pauvre femme a été contrainte à faire un mariage qui ne la séduisait pas pour des raisons politiques, c'est bien moi. J'aurais trouvé un mari plus convenable chez moi, dans les plus bas quartiers.

— Peut-être, ma chère amie, aimeriez-vous y retourner, chez vous. Mais il faudrait, pour que je ne perde pas cette partie de vous que je connais le mieux, que je vous coupe d'abord la langue. Et... (il pencha la tête et considéra sa femme pensivement) « peut-être aussi les oreilles, et le bout de votre nez, pour ajouter à votre beauté.

— Vous n'oseriez pas, chien. Mon père réduirait votre petite nation en poussière météorique. Il se pourrait d'ailleurs qu'il le fasse de toute façon, si je lui dis que vous traitez avec ces barbares.

— Hm-m-m. Inutile de me menacer. Vous aurez tout loisir de questionner cet homme vous-même au dîner. Entretemps, madame, tenez votre langue.

— Parce que vous me l'aurez ordonné ?

— Tenez, prenez ceci et taisez-vous. »

Quand elle eut fixé la chaîne autour de sa taille et le collier à son cou, le Commodore poussa lui-même le bouton, puis recula.

Sa femme en perdit le souffle. D'un geste quasi convulsif, elle porta les mains à son cou.

Son époux se frotta les mains avec satisfaction et dit :

« Vous pourrez les portez ce soir... et je vous en donnerai d'autres. Mais taisez-vous. »

La femme du Commodore se tut.

VII

Jaim Twer s'agita sur son siège. « C'est vous qui grimacez maintenant, dit-il, pourquoi ? »

Hober Mallow leva vivement les yeux.

« Moi, je grimace ? Je ne m'en rendais pas compte.

— Il est sûrement arrivé quelque chose hier, en dehors du banquet. » Et, avec une soudaine conviction : « Mallow, ça ne vas pas, n'est-ce pas ?

— Oh ! si. Au contraire. En fait, je me suis jeté de tout mon poids contre une porte qui était ouverte. Nous pénétrons trop facilement dans la fonderie.

— Vous soupçonnez un piège ?

— Pour l'amour de Seldon, ne soyez pas mélodramatique. » Mallow se contint et ajouta d'un ton plus normal : « Je pense seulement que, si l'on nous laisse entrer avec une telle facilité, c'est qu'il n'y aura rien à voir.

— Vous pensez à l'énergie atomique ? » Twer parut méditer. « Je vais vous dire. Rien, ici, ne prouve qu'ils ont l'énergie atomique. Or, s'ils l'avaient, ce serait diablement difficile à masquer.

— Pas s'il s'agissait d'un progrès récent, Twer, et s'ils ne l'appliquaient qu'à la fabrication de guerre. A ce moment-là, on ne s'en apercevrait que sur les chantiers de construction navale et dans les fonderies.

— Donc, si nous ne voyons rien...

— C'est qu'ils ne l'ont pas... ou ne la montrent pas. Jouons la réponse à pile ou face. »

Twer hocha la tête. « Je regrette de ne pas avoir été avec vous hier.

— Moi aussi, dit Mallow d'un ton sombre. Un peu de soutien moral ne m'aurait pas fait de mal. Malheureusement, c'est le Commodore qui a organisé notre rencontre, et pas moi. Et cet engin, devant la porte, est probablement l'automobile royale qui doit nous conduire aux fonderies. Vous avez les appareils ?

— Tous, oui. »

La fonderie était vaste et il y régnait une atmosphère de délabrement que quelques réparations superficielles n'avaient pu réussir à dissiper. Le Commodore et sa suite y furent accueillis par un silence étrange.

Mallow avait lancé d'un geste aisé la feuille d'acier sur les deux supports. Il avait pris l'instrument que lui tendait Twer et l'avait attrapé par le manche de cuir qui se détachait de la gaine protectrice de plomb.

« Cet instrument est d'un maniement dangereux, fit-il remarquer, mais pas plus qu'une scie circulaire. Ce qu'il faut, c'est faire attention à ses doigts. »

Ce disant, il déplaça la lame de l'instrument de long de la feuille d'acier, laquelle se trouva aussitôt découpée en deux.

Tous les assistants sursautèrent et Mallow rit. Il ramassa l'une des moitiés de la feuille et l'appuya contre son genou. « Vous pouvez prévoir la longueur à couper à un millimètre près et partager, sans plus de difficulté que je ne viens d'en avoir, une feuille de cinq centimètres d'épaisseur. A condition de bien avoir mesuré l'épaisseur de votre acier, vous pouvez placer votre feuille sur une table de bois et trancher, sans que le bois ait la moindre égratignure. »

Accompagnant ces phrases, le ciseau atomique découpait l'acier en lamelles.

« Voilà, dit Mallow, si vous voulez faire des copeaux d'acier. Mais peut-être désirez-vous diminuer l'épaisseur d'une feuille, supprimer une irrégularité, enlever la rouille ? Regardez. »

De l'autre moitié de la feuille originale, se détachèrent des plaques presque transparentes de quinze, puis de vingt, puis de vingt-cinq centimètres de large.

« Voulez-vous perforer ? C'est le même principe. »

Tous se pressaient maintenant autour de lui. On eût dit des badauds entourant un prestidigitateur. Le Commodore Asper ramassait des copeaux d'acier pour les examiner. Les hauts fonctionnaires se bousculaient les uns les autres pour mieux voir et faisaient des commentaires à mi-voix, tandis que Mallow découpait de beaux trous bien ronds dans une épaisseur d'acier de plusieurs centimètres, rien qu'en appuyant un peu la pointe de sa perforeuse atomique.

« Je vais vous faire encore une petite démonstration seulement. Que quelqu'un m'apporte deux petits bouts de tube. »

Un honorable chambellan se précipita pour aller prendre des morceaux de tube tout graisseux.

Mallow les mit debout et en coupa les bouts d'un seul coup de son ciseau, puis les mit l'un contre l'autre, les coupures fraîches se joignant.

Et il n'y eut plus qu'un tube ! Toutes les irrégularités ayant disparu, il avait suffi que les deux bouts fussent joints pour qu'ils ne forment plus qu'un.

Mallow leva la tête pour faire face à son auditoire et s'arrêta net au milieu d'une phrase. Il sentit une boule froide se former au creux de son estomac.

Dans la confusion générale, les gardes du corps du Commodore avaient été poussés au premier rang, et Mallow, pour la première fois, était assez près d'eux pour voir leurs armes.

Elles étaient atomiques ! Il n'y avait aucun doute : il ne pouvait exister de projectile explosif passant par un canon pareil. Mais là n'était pas le plus important... hélas !

Sur la crosse de chacun des fusils étaient gravés, profondément et en lettres d'or : le Soleil et l'Astronef !

Ce Soleil et cet Astronef qui figuraient sur chacun des volumes de l'Encyclopédie que la Fondation avait commencée et pas encore achevée. *Ce soleil et cet Astronef qui avaient été l'emblème de l'Empire Galactique pendant des millénaires.*

Alors même qu'il réfléchissait, Mallow continua son boniment : « Regardez ce tube ! Il est d'une seule pièce. Ce n'est pas parfait, bien sûr, parce que l'assemblage ne devrait pas se faire à la main. »

Il était inutile, maintenant, de multiplier les tours de passe-passe. La démonstration avait réussi, Mallow avait gagné. Il n'avait plus maintenant qu'une pensée : le globe d'or aux rayons stylisés et le cigare qui représentait un astronef.

Le Soleil et l'Astronef de l'Empire !

L'Empire ! Un siècle et demi s'était écoulé, mais l'Empire continuait à exister, quelque part plus au fond de la Galaxie. Et il était en train d'émerger de nouveau, dans la Périphérie.

Mallow sourit.

VIII

Le *Far Star* était depuis deux jours dans l'espace lorsque Hober Mallow, dans le secret de sa cabine, tendit à son second, le lieutenant Drawt, une enveloppe, un rouleau de microfilm et un sphéroïde d'argent.

« Dans une heure d'ici, lieutenant, lui dit-il, vous ferez fonction de commandant du *Far Star*, et ce, jusqu'à mon retour... ou à jamais. »

Drawt fit mine de se lever, mais Mallow lui signifia d'un geste impérieux de rester où il était.

« Ne bougez pas et écoutez-moi. L'enveloppe contient l'emplacement exact de la planète vers laquelle vous aurez à vous diriger. Vous m'y attendrez deux mois. Si la Fondation vous repère d'ici là, le microfilm constituera mon rapport sur le voyage.

« Mais si... (sa voix s'assombrit) *je ne reviens pas* au bout de deux mois, et si les astronefs de la Fondation ne vous ont pas repéré, rejoignez la planète Terminus et remettez la capsule horaire et le rapport. Vous me suivez ?

— Oui, commandant.

— A aucun moment, *et sous aucun prétexte,* vous ou vos hommes ne devrez faire de commentaires concernant mon rapport officiel.

— Et si l'on nous questionne, commandant ?

— Vous direz que vous ne savez rien.

— Oui, commandant. »

L'entretien se termina là et, moins d'une heure plus tard, un canot quitta le *Far Star.*

IX

Onum Barr était un vieil homme, trop vieux pour avoir peur. Depuis les derniers troubles, il s'était retiré seul tout au bout des terres avec les quelques livres qu'il avait pu sauver du désastre. Il ne redoutait aucune perte, et, certes pas celle de ce qui lui restait de vie, aussi fût-ce sans appréhension aucune qu'il fit face à l'intrus.

« Votre porte était ouverte », expliqua l'étranger.

Barr remarqua l'étrange fusil à reflets bleuâtres que l'autre portait à la ceinture. Dans la demi-obscurité de la petite pièce, il vit aussi la lueur de l'écran radioactif qui le protégeait comme un bouclier.

« Je n'ai aucune raison de la fermer, dit-il d'un ton las. Que désirez-vous de moi ? »

L'étranger demeura debout au milieu de la pièce. Il était à la fois très grand et très large. « Votre maison est la seule dans ces parages.

— L'endroit est assez désert, reconnut Barr, mais il y a une ville vers l'est. Je peux vous montrer le chemin.

— Dans un moment. Puis-je m'asseoir ?

— Si les chaises vous supportent », dit le vieil homme gravement. Les chaises étaient vieilles aussi, reliques d'une jeunesse meilleure.

L'étranger dit : « Je m'appelle Hober Mallow. Je viens d'une province éloignée. »

Barr acquiesça en souriant : « Votre accent vous avait déjà trahi. Moi, je suis Onum Barr, de Siwenna... et jadis patricien de l'Empire.

— Je suis donc bien sur Siwenna. Je n'avais que de vieilles cartes pour me guider. »

Barr resta silencieux tandis que son visiteur paraissait plongé dans ses pensées. Il remarqua que l'écran radioactif s'était éteint et se dit, non sans mélancolie, que sa personne ne semblait plus redoutable aux étrangers... ni même d'ailleurs à ses ennemis.

Il dit : « Ma maison est pauvre et j'ai peu de ressources. Vous pouvez partager mon repas si votre estomac supporte le pain noir et les céréales séchées. »

Mallow secoua la tête. « Merci, j'ai mangé et je ne peux pas rester. Tout ce que je veux, c'est connaître le chemin de la capitale.

— C'est facile et, aussi pauvre que je sois, cela ne me privera de rien. Parlez-vous de la capitale de la planète, ou de celle du Secteur impérial ? »

L'homme parut surpris. « N'est-ce pas la même chose ? Ne suis-je pas sur Siwenna ? »

Le vieux patricien acquiesça lentement. « Si. Mais Siwenna n'est plus la capitale du Secteur normanique. Votre vieille carte vous a quand même mal guidé. Les étoiles ne changent guère à travers les siècles, mais il n'en va pas de même pour les frontières politiques.

— C'est ennuyeux. Très ennuyeux même. Est-ce que la nouvelle capitale est loin ?

— Elle est sur Orsha II. A vingt parsecs d'ici. De quand date votre carte ?

— Elle a cent cinquante ans.

— Tant que cela ? » Le vieil homme soupira. « Il s'est passé beaucoup de choses depuis. Etes-vous au courant ? »

Mallow secoua la tête en signe de négation.

« Tant mieux pour vous, dit Barr. Cela a été une époque maudite pour les provinces, sauf pendant le règne de Stannell VI, mais il est mort il y a cinquante ans. Depuis lors, ce ne sont que révoltes et destructions, destructions et révoltes. » Tout en parlant, Barr se demandait si la vie solitaire qu'il menait ne le poussait pas à radoter un peu devant l'étranger.

« Des ruines ? dit Mallow vivement. Selon vous, la province aurait été appauvrie ?

— Pas entièrement. Il faut du temps pour épuiser les ressources naturelles de vingt-cinq planètes de première classe. Nous avons pourtant beaucoup décliné depuis le siècle dernier, et rien, pour l'instant, ne permet de dire que nous remonterons la pente. Mais pourquoi vous intéressez-vous à ces choses, jeune homme ? Vous voilà tout excité et vos yeux brillent ! »

Le Marchand fut sur le point de rougir sous ce regard scrutateur.

« Ecoutez, dit-il. Je suis Marchand, je viens des confins de la Galaxie. Jai trouvé de vieilles cartes et je cherche à créer de nouveaux marchés. Vous comprenez que vos histoires de ruine m'inquiètent. On ne peut pas tirer de l'argent d'un pays qui n'en a pas. Quelle est la situation sur Siwenna, par exemple ? »

Le vieil homme se pencha en avant. « Je ne puis vous le dire. Peut-être pas si catastrophique, même aujourd'hui. Mais vous, un Marchand ? Vous m'avez plutôt l'air d'un soldat. Vous gardez votre main près de votre fusil, et vous avez une balafre sur la mâchoire.

— La loi est assez souple là d'où je viens, dit Mallow. Se battre et se faire taillader font partie de la vie d'un Marchand. Mais je ne me bats que quand il y a de l'argent en perspective, et, si je peux m'en abstenir, j'aime autant cela. Trouverai-je assez d'argent ici pour que cela vaille la peine que je me batte ? Car je suppose que je trouverai facilement des adversaires ?

— Assez facilement, reconnut Barr. Vous pourriez vous joindre aux débris des troupes de Wiscard dans les Etoiles Rouges ; je ne sais pas si vous appelleriez ça se battre ou faire les pirates. Vous pourriez aussi offrir vos services à notre gracieux vice-roi, gracieux par droit de meurtre, pillage, rapine et la parole d'un petit empereur, assassiné depuis lors. » Une rougeur monta aux pommettes du vieil homme. Il ferma les yeux, puis les rouvrit.

« Vous ne paraissez pas beaucoup aimer le vice-roi, seigneur Barr, dit Mallow. Et si j'étais l'un de ses espions ?

— Et alors ? demanda Barr amèrement. Que pourriez-vous me prendre ? » Il embrassa d'un geste large la pièce délabrée et nue.

« Votre vie.

— Elle ne cherche qu'à me quitter. Elle est déjà restée cinq ans de trop avec moi. Mais vous n'êtes pas un homme du vice-roi. Si c'était le cas, peut-être mon instinct de conservation serait-il quand même encore assez fort pour que je me taise.

— Qu'en savez-vous ? »

Le vieil homme rit. « Vous me paraissez bien soupçonneux. Je parie que vous croyez que je cherche à vous faire dire du mal sur le gouvernement. Non, non. La politique ne me préoccupe plus.

— Y a-t-il jamais un moment où la politique cesse de préoccuper ? Quand vous avez parlé du vice-roi, quels mots avez-vous employés ? Meurtre, pillage, etc. Ce n'est pas ce qu'on appelle se montrer objectif. »

Le vieil homme haussa les épaules. « Les souvenirs vous aiguillonnent quelquefois, quand ils surgissent brusquement. Ecoutez ! Jugez vous-même ! Quand Siwenna était la capitale de la province, j'étais patricien et membre du sénat provincial. Ma famille était ancienne et respectée. L'un de mes grands-pères avait été... mais peu importe. La gloire passée ne nourrit guère.

— Je suppose, dit Mallow, qu'il y a eu une guerre civile ou une révolution. »

Barr s'assombrit. « Les guerres civiles sont chroniques en ces temps dégénérés, mais Siwenna avait réussi à y échapper. Sous Stannel VI, elle avait presque retrouvé sa prospérité passée. Mais, après cela, sont venus des empereurs faibles, et qui dit empereur faible dit vice-roi fort. Le dernier de ces vices-rois — ce même Wiscard qui continue à piller les Etoiles Rouges — a brigué la pourpre impériale. Il n'était pas le premier. Et il n'aurait pas été le premier à réussir non plus, s'il avait réussi.

« Mais il a échoué. Car lorsque l'amiral de l'empereur approcha de la province à la tête d'une flotte, Siwenna se révolta contre le vice-roi révolté. » Il s'arrêta, tristement.

Mallow, s'apercevant qu'il était assis, tout crispé, sur le bord de son siège, se força à se détendre. « Continuez, je vous en prie.

— Merci, dit Barr d'un ton las. C'est aimable à vous de vous plier aux caprices d'un vieillard. Ils se révolètrent donc : je devrais plutôt dire : nous nous révoltâmes, puisque j'étais parmi les chefs. Wiscard quitta Siwenna précipitamment ; et toute la planète et avec elle la province capitulèrent devant l'amiral, en même temps que l'on prodiguait toutes les assurances possibles de loyauté envers l'empereur. Pourquoi nous avons fait cela, je ne le sais trop. Peut-être nous sentions-nous des obligations envers le symbole, sinon la personne de l'empereur, un enfant cruel et mal élevé. Peut-être redoutions-nous les horreurs d'un siège.

— Et alors ? le pressa Mallow doucement.

— Et alors, répondit l'autre d'un ton amer, l'amiral ne fut pas satisfait. Il voulait la gloire d'avoir maté une province révoltée, et ses hommes voulaient le butin que leurs pillages leur auraient rapporté : tandis que les gens se réunissaient sur les places des villes pour applaudir l'empereur, l'amiral occupa toutes les bases militaires et fit massacrer la population.

— Sous quel prétexte ?

— Sous le prétexte qu'ils s'étaient révoltés contre le vice-roi, l'oint de l'empereur... Et, au bout d'un mois de massacres et de mises à sac, l'amiral devint le nouveau vice-roi. J'avais six fils... Cinq sont morts... de façons diverses. J'avais une fille. J'espère qu'elle est finalement morte. Moi, je m'en suis tiré parce que j'étais vieux. Trop vieux pour causer du souci, même à notre vice-roi. » Il pencha sa tête grise. « Ils ne m'ont rien laissé parce que j'ai aidé à chasser un gouverneur rebelle et privé un amiral de sa gloire. »

Au bout d'un long moment de silence, Mallow demanda : « Qu'est-il advenu de votre sixième fils ?

— Lui ? » Barr eut un sourire acide. « Il ne risque rien, il s'est engagé sous un faux nom dans les troupes de l'amiral.

Il est canonnier dans la flotte personnelle du vice-roi. Oh ! non, ne me regardez pas ainsi, ce n'est pas un fils dénaturé. Il vient me voir chaque fois qu'il le peut et me donne ce qu'il peut. C'est lui qui me permet de survivre. Et un jour, notre grand et glorieux vice-roi sera traîné au poteau d'exécution, et mon fils sera le bourreau.

— Et vous confiez cela à un étranger. Vous mettez en danger la vie de votre fils.

— Non. Je l'aide en introduisant un nouvel ennemi. Et si j'étais aussi ami du vice-roi que je suis son ennemi, je lui dirais de garnir l'espace d'astronefs, jusqu'aux confins de la Galaxie.

— N'est-ce pas ce qu'il a fait ?

— En avez-vous trouvé ? Vous a-t-on interrogé lorsque vous êtes arrivé ? Avec le peu d'astronefs dont ils disposent, et le nombre de petites intrigues et d'ébauches de révolutions qui se fomentent dans les provinces, ils ne peuvent se permettre de placer des bâtiments pour garder les soleils barbares de l'extérieur. Aucun danger ne nous a jamais menacés de la Périphérie... jusqu'au moment où *vous* êtes venu.

— Moi ? Je ne représente pas un danger.

— Vous n'êtes que l'avant-garde. »

Malow secoua lentement la tête. « Je crois que je ne vous suis pas bien.

— Ecoutez. » Le vieillard s'anima soudain. « Je l'ai su dès que vous êtes entré. Vous aviez un écran radioactif pour vous protéger, je l'ai vu. »

Il y eut un silence, puis Mallow dit : « Oui, c'est vrai.

— Bon. C'était une erreur, mais vous ne pouviez vous en douter. Je sais certaines choses. Ce n'est plus de mode aujourd'hui d'être érudit... les événements vont très vite ; et qui ne peut pas lutter, le fusil atomique à la main, est balayé par le courant, comme je l'ai été. Mais j'ai beaucoup étudié, et je sais que, dans toute l'histoire de l'atome, il n'a jamais été inventé d'écran individuel portatif. Nous en possédons d'immenses, qui peuvent protéger une ville, ou même un astronef, mais pas un individu.

— Ah ? Et qu'en déduisez-vous ?

— Des histoires ont circulé dans l'espace. Elles sont déformées de parsec en parsec... mais, lorsque j'étais jeune, un petit astronef est arrivé avec des hommes étranges à bord, qui ne connaissaient pas nos coutumes et ne pouvaient dire d'où ils venaient. Ils parlèrent de magiciens qui habiteraient aux confins de la Galaxie, des magiciens qui luisaient dans l'obscurité, qui volaient à travers les airs et que les armes n'atteignaient pas.

« Nous en avons tous ri à l'époque, et je n'y ai plus pensé jusqu'à aujourd'hui. Mais vous luisez dans l'obscurité et je crois que, même si j'avais une arme, je ne pourrais vous faire aucun mal. Dites-moi, est-ce que vous savez voler aussi aisément que vous vous asseyez sur cette chaise ? »

Mallow répondit avec beaucoup de calme : « Je ne sais rien faire de ce que vous dites. »

Barr sourit. « Parfait. Il n'est pas dans mes habitudes de faire subir un interrogatoire à mes hôtes. Mais s'il existe des magiciens, si vous êtes l'un d'eux, il pourrait un jour y en avoir toute une invasion. Peut-être serait-ce une bonne chose. Peut-être avons-nous besoin de sang nouveau. » Il parut un moment se parler tout bas à lui-même, puis reprit : « Mais il y a l'envers de la médaille. Notre nouveau vice-roi fait des rêves aussi, tout comme Wiscard.

— Il rêve de la couronne impériale, lui aussi ? »

Barr acquiesça. « Mon fils a surpris des conversations. C'est inévitable, puisqu'il se trouve dans l'entourage immédiat du vice-roi. Il me les a rapportées. Notre nouveau vice-roi ne refuserait pas la couronne si on la lui donnait, mais il se réserve une position de repli. Il paraîtrait qu'à défaut de l'empire existant, il n'hésiterait pas à s'en créer un dans l'arrière-pays barbare. Il aurait même, mais je ne puis le certifier, marié une de ses filles à un roitelet, quelque part dans la Périphérie.

— S'il fallait écouter tous les racontars...

— Je sais. Et il y en a des tas. Je suis vieux et je radote. Mais vous, quel est votre avis ? » Le regard des yeux pâlis par l'âge était perçant, scrutateur.

Le Marchand réfléchit. « Je ne peux rien vous dire. Mais j'aimerais vous poser une question. Est-ce que Siwenna possède l'énergie atomique ? Attendez, je sais qu'elle n'ignore pas l'existence de cette énergie. Mais est-ce qu'il y a des générateurs intacts, ou est-ce qu'ils ont été détruits pendant la révolte ?

— Détruits ? Oh ! non ! Ils anéantiraient la moitié de la planète plutôt que de toucher aux générateurs. Ils sont irremplaçables et ce sont eux qui fournissent son énergie à la flotte. » Il ajouta presque fièrement : « Nous avons la plus grande et la plus perfectionnée des centrales de ce côté-ci de Trantor.

— Et comment devrais-je m'y prendre pour voir ces générateurs ?

— Rien à faire ! dit Barr sans hésiter. Si vous approchez d'un centre militaire, vous serez fusillé sur place. Vous ou n'importe qui. Siwenna est toujours privée de ses droits civiques.

— Vous voulez dire que toutes les centrales sont sous le contrôle des militaires ?

— Non. Il y a de petites centrales urbaines, celles qui fournissent le chauffage et l'éclairage, l'énergie nécessaire aux transports, etc. Mais celles-là sont sous le contrôle des technistes, ce qui ne vaut guère mieux.

— Qu'est-ce que les technistes ?

— C'est un groupe de spécialistes qui surveillent le fonctionnement des centrales. Il s'agit de charges héréditaires, les fils apprenant le métier de leur père. Nul autre qu'un techniste ne peut pénétrer dans une centrale.

— Ah...

— Je ne dis pas, ajouta Barr, qu'on n'a jamais vu de techniste se laisser corrompre. A une époque où neuf empereurs se succèdent en cinquante ans, parmi lesquels sept sont assassinés, où le dernier des commandants d'astronef aspire à devenir vice-roi, et tout vice-roi à devenir empereur, il serait étonnant que les technistes fussent inévitablement insensibles à l'argent. Mais il en faudrait beaucoup. Moi, je n'en ai pas, et vous ?

— De l'argent ? Non. Mais est-ce le seul moyen de corrompre ?

— Quel autre moyen y aurait-il quand l'argent achète tout le reste ?

— Il y a encore des tas de choses que l'argent n'achète pas. Quand vous m'aurez dit où se trouve la plus proche ville possédant une centrale et comment y parvenir, il ne me restera plus qu'à vous remercier.

— Attendez ! » Barr étendit ses mains maigres. « Pourquoi cette hâte ? Moi, je ne vous pose pas de questions. Mais, en ville, où tous les habitants continuent à être considérés comme rebelles, vous seriez appréhendé par le premier garde qui entendrait votre accent et verrait votre costume. »

Il se leva et, du tiroir d'une vieille commode, alla tirer un petit fascicule. « C'est mon passeport... il est faux. C'est lui qui m'a servi pour m'échapper. »

Il le plaça dans la main de Mallow et replia les doigts de celui-ci dessus. « Le signalement ne correspond pas, mais, si vous vous y prenez bien, personne n'y regardera de trop près.

— Mais vous ? Vous restez sans papiers. »

L'autre haussa les épaules. « Et alors ? Autre précaution que vous devez prendre : votre langage ! Votre accent est barbare, vous employez des expressions bizarres et des tas d'anachronismes. Moins vous parlerez, moins vous attirerez l'attention sur vous-même. Maintenant, je vais vous indiquer le chemin de la ville. »

Cinq minutes plus tard, Mallow était parti.

Il revint encore une fois, juste pour un instant, dans la maison du vieux patricien avant de la quitter complètement. Lorsque, tôt le lendemain matin, Onum Barr sortit dans son jardin, il trouva une caisse au milieu de l'allée. Elle contenait des provisions, des aliments concentrés tels qu'on en emporte sur les astronefs, des mets étranges, étrangement préparés.

Mais ces provisions étaient bonnes et elles durèrent longtemps.

X

Le techniste était courtaud et bedonnant. Il avait les cheveux très fins et on voyait son crâne rose luire au travers. Il portait de lourdes bagues aux doigts, ses vêtements étaient parfumés, et c'était le premier homme que Mallow avait rencontré sur cette planète qui n'eût pas l'air affamé.

En ce moment, il faisait la moue. « Allons, mon ami, dépêchez-vous. J'ai une journée chargée. Vous me paraissez être un étranger... » Ce disant, il regardait le costume de Mallow avec un air des plus soupçonneux.

« Je ne suis pas de la région, dit Mallow, très calme ; mais peu importe. J'ai eu l'honneur de vous faire parvenir un petit présent hier. »

Le techniste leva le nez. « Je l'ai reçu. Intéressant, votre petit machin. Je pourrai m'en servir à l'occasion.

— J'ai d'autres cadeaux, encore plus intéressants. Et qui dépassent de beaucoup la catégorie petit machin.

— Ah ? » Le techniste rondouillard traîna rêveusement sur cette syllabe. « Je crois voir où vous voulez en venir. Vous n'êtes pas le premier. Vous allez m'offrir une bêtise quelconque : quelques crédits, un manteau peut-être, un bijou sans valeur, enfin quelque chose que vous imaginez dans votre petite tête susceptible d'acheter un techniste. » Il renifla avec colère. « Et je sais ce que vous voulez en retour. Vous n'êtes pas le seul à avoir eu cette brillante idée. Vous voulez être adopté par notre clan. Vous voulez apprendre les mystères de l'atome et les soins à donner aux machines. Vous pensez que, parce que vous autres chiens de Siwenna — car vous ne faites évidemment que semblant d'être étranger pour les besoins de la cause — vous payez tous les jours le prix de votre rébellion, vous allez pouvoir échapper au châtiment que vous méritez en vous assurant les privilèges et la protection de la guilde des technistes. »

Mallow allait répondre, mais le techniste se dressa brusquement, au comble de l'excitation. « Filez, rugit-il, avant que je ne donne votre nom au protecteur de la ville. Croyez-vous que je sois un homme à trahir ? Les félons Siwenniens qui m'ont précédé, peut-être ! Mais vous n'avez plus affaire à la même race maintenant. Par la Galaxie, je me demande pourquoi je ne vous tue pas sur place de mes mains nues. »

Mallow sourit intérieurement. Tout ce discours était fabriqué au point qu'il dégénérait en farce.

Le Marchand regarda avec amusement ces deux mains flasques qui devaient, paraît-il, le tuer sur place et dit : « Sage techniste, vous vous trompez sur trois points. *Primo*, je ne suis pas une créature du vice-roi venue mettre à l'épreuve votre loyauté. *Secundo*, mon présent est quelque chose que l'empereur lui-même dans sa splendeur ne possède ni ne possédera jamais. *Tertio*, en retour je ne souhaite qu'une toute petite faveur, presque rien.

— C'est ce que vous dites ! » La voix de l'autre était lourde de sarcasme. « Allons ! quel est donc ce don impérial que, dans votre puissance divine, vous voulez bien m'accorder ? Quelle est cette chose que l'empereur ne possède pas ? »

Mallow se leva et repoussa sa chaise. « J'ai attendu trois jours pour vous voir, sage techniste, mais ce que je veux vous montrer ne prendra que trois secondes. Si vous voulez bien sortir ce pistolet dont je vois la crosse tout près de votre main...

— Comment ?

— Et tirer sur moi, je vous en serai reconnaissant.

— Quoi ?

— Si je suis tué, vous pourrez dire à la police que vous m'avez abattu parce que j'essayais de vous acheter. On vous en félicitera. Si je ne suis pas tué, je vous donnerai mon écran. »

Alors seulement, le techniste distingua la vague lueur blanche qui entourait le visiteur, comme si celui-ci avait été recouvert d'une poussière nacrée. Il leva son pistolet, et à la fois plein de méfiance et d'étonnement, il tira.

Les molécules d'air prises dans la subite désagrégation

atomique devinrent des ions incandescents, marquant la mince ligne aveuglante qui entourait le cœur de Mallow... puis rejaillirent !

Et, tandis que pas un muscle du visage de Mallow ne bougeait, les forces atomiques qui l'attaquaient se consumaient contre l'écran nacré d'apparence si fragile et s'en allaient mourir dans les airs.

Le techniste laissa tomber son arme à terre sans même s'en apercevoir.

Mallow demanda : « Est-ce que l'empereur possède un écran personnel ? Vous, vous pouvez en avoir un. »

L'autre bredouilla : « Vous êtes... techniste ?

— Non.

— Alors comment vous êtes-vous procuré ça ?

— Que vous importe ? » Mallow parlait d'un ton plein de mépris. « Vous le voulez ? » Il lança une chaîne de boutons sur la table. « Tenez. »

Le techniste s'en saisit et l'examina nerveusement : « Cest complet ?

— Oui.

— Et l'énergie vient d'où ? »

Mallow désigna le plus gros des boutons dans sa gaine de plomb.

Le techniste leva un visage tout congestionné. « Monsieur, je suis un techniste de première classe. J'ai vingt ans de métier derrière moi et j'ai été élève du grand Bler à l'université de Trantor. Si vous avez l'audace de me dire que ce boîtier pas plus grand que... qu'une noisette contient un générateur atomique, je vous fais passer devant le protecteur dans trois secondes.

— Trouvez une autre explication, si vous pouvez. Moi, je vous dis que le mécanisme est complet. »

Le techniste se calma peu à peu et se passa la ceinture autour de la taille. Il poussa le bouton comme le lui indiquait Mallow. Le bouclier lumineux apparut. Le techniste leva son arme, puis hésita. Lentement, il la régla à un minimum presque inoffensif.

Puis, d'un geste convulsif, il tira. Le feu atomique jaillit contre sa main, la laissa indemne.

« Et si je vous tuais maintenant et que je garde ça ?

— Essayez, dit Mallow. Croyez-vous que je vous ai donné le seul que je possède ? » En effet, lui aussi s'entoura instantanément de lumière nacrée.

Le techniste eut un rire nerveux. Il lança son arme sur la table. « Et qu'est-ce que cette toute petite faveur. ce presque rien que vous attendez de moi ?

— Je veux voir vos générateurs.

— Vous savez que c'est défendu. C'est l'expulsion dans l'espace pour vous et moi...

— Je ne veux même pas les toucher. Je veux les *voir*... de loin.

— Et si je refuse ?

— Vous avez votre écran, mais moi j'ai d'autres choses. Un revolver qui perce ce genre de bouclier, par exemple.

— Hmm, fit le techniste. Venez avec moi. »

XI

La maison du techniste était une petite construction de deux étages, aux abords de l'énorme cube sans fenêtre qui dominait la ville. Pour passer d'un bâtiment à l'autre, Mallow emprunta un passage souterrain et se retrouva dans l'atmosphère chargée d'ozone de la centrale atomique.

Durant un quart d'heure, il suivit son guide sans rien dire. Ses yeux enregistraient tout, mais ses doigts ne touchaient rien. Le techniste demanda enfin d'une voix mal assurée :

« Vous en avez assez vu, je pense ?

— Oui, dit Mallow, largement. »

Ils regagnèrent les bureaux et Mallow dit d'un ton songeur :

« Et c'est vous qui contrôlez tous ces générateurs ?

— Tous », répondit le techniste, avec un rien de suffisance dans la voix.

« Et vous les entretenez en ordre de marche ?

— Parfaitement !

— Et en cas de panne ? »

Le techniste secoua la tête avec indignation. « Il n'y a jamais de panne. Jamais. Ils ont été construits pour durer une éternité.

— C'est long, l'éternité. Supposez...

— Il est antiscientifique de supposer des faits absurdes.

— Très bien. Supposez que je détruise un élément vital. Je ne pense pas que ces machines soient à l'abri des effets des forces atomiques. Si je grillais un relais indispensable ou si je cassais une lampe D à quartz ?

— Eh bien, dans ce cas, cria le techniste, furieux, vous seriez tué.

— Oui, je sais. » Mallow criait aussi. « Mais le générateur ? Sauriez-vous le réparer ?

— Mon cher monsieur, s'exclama le techniste, vous en avez eu pour votre argent. Maintenant, décampez ! Je ne vous dois plus rien ! »

Mallow s'inclina avec un respect exagéré et sortit.

Deux jours plus tard, il regagnait la base où le *Far Star* l'attendait pour le ramener sur la planète Terminus.

Et deux jours plus tard, l'écran protecteur du techniste s'éteignit, et ni les prières ni les malédictions ne le rallumèrent.

Pour la première fois depuis six mois, Mallow se détendait. Il était allongé sur le dos, complètement nu, dans le solarium de sa nouvelle villa. Ses grands bras bruns et musclés étaient repliés sous sa tête, révélant des biceps noueux.

L'homme qui était auprès de Mallow lui plaça un cigare entre les dents et le lui alluma. Sur quoi il déclara :

« Vous devez être surmené. Vous avez sûrement besoin d'un long repos.

— Peut-être, Jael, mais j'aimerais mieux me reposer dans un fauteuil de conseiller. Parce qu'il me faut ce siège et que vous allez m'aider à l'avoir.

— Qu'est-ce que je viens faire dans cette histoire ? demanda Ankor Jael.

— Votre rôle est clair. D'abord, vous êtes un vieux renard de politicien. *Secundo,* vous avez été évincé du cabinet par Jorane Sutt, lequel préférerait perdre un œil plutôt que de me voir siéger au Conseil. Vous croyez que je n'ai guère de chances, n'est-ce pas ?

— Guère, en effet, reconnut l'ex-ministre de l'Education. Vous êtes un Smyrnien.

— Ce n'est pas un obstacle légal. J'ai reçu une éducation laïque.

— Allons, allons, depuis quand le préjugé suit-il d'autres lois que la sienne ? Mais parlez-moi un peu de votre homme... de ce Jaim Twer. Que dit-il, lui ?

— Il proposait de faire campagne pour moi il y a un an, répondit Mallow. Mais il n'y serait pas parvenu, de toute façon. Il manque de profondeur. Il est vigoureux et il a la langue bien pendue, mais tout cela ne sert pas à grand-chose. Il faut que je tente un véritable coup d'Etat. C'est pour cela que j'ai besoin de vous.

— Jorane Sutt est le plus fin politicien de la planète, et il marchera contre vous. Je ne me crois pas de taille à lutter avec lui. Et ne vous imaginez pas qu'il reculera devant les manœuvres les plus déloyales.

— J'ai de l'argent.

— Ça sert. Mais il en faut beaucoup pour effacer les préjugés... vous qui n'êtes qu'un sale Smyrnien.

— Je n'en manquerai pas.

— Bien. Je vais vous aider. Mais n'allez pas me dire après cela que je vous ai encouragé... Tiens, vous avez une visite. »

Mallow fit la grimace. « Jorane Sutt, en personne. Il est en avance, et je n'en suis pas surpris. Voilà un mois que je l'évite. Ecoutez, Jael, passez dans l'autre pièce et branchez l'écouteur. Je tiens à ce que vous ne perdiez rien de cette conversation. »

Il fit passer le conseiller dans la pièce voisine, puis enfila un peignoir de soie. La lumière solaire synthétique reprit un éclat normal.

Le secrétaire du Maire entra d'un pas rapide, et le majordome referma la porte derrière lui.

Mallow noua sa ceinture et dit : « Asseyez-vous donc, Sutt. »

Sutt s'installa dans un fauteuil confortable, mais il resta assis sur le bord de son siège. « Si vous voulez bien commencer par exposer vos conditions, lança-t-il, nous allons parler affaires tout de suite.

— Que voulez-vous dire ?

— Vous avez envie qu'on vous flatte ? Tenez, par exemple, qu'avez-vous fait sur Korell ? Votre rapport était très incomplet.

— Je vous l'ai remis il y a des mois. Vous en avez paru satisfait alors.

— Oui, fit Sutt, mais depuis cette époque, vous avez eu des activités fort révélatrices. Nous sommes très au courant de ce que vous faites, Mallow. Nous savons exactement combien d'usines vous installez ; avec quelle hâte vous poursuivez les travaux ; et combien cela vous coûte. Et je ne parle pas de ce palais, ajouta-t-il en promenant autour de lui un regard significatif, qui a dû vous coûter bien plus que mon traitement annuel.

— Et alors ? Qu'est-ce que cela prouve, sinon que vous employez des espions qui font bien leur travail ?

— Cela pourve que vous avez de l'argent que vous n'aviez pas il y a un an. Et cela peut vouloir dire bien des choses... par exemple qu'il s'est produit sur Korell des événements que nous ignorons. D'où vient votre argent ?

— Mon cher Sutt, vous ne vos attendez tout de même pas à ce que je vous le dise ?

— Non.

— C'est bien ce que je pensais. Je vais donc vous le dire. Il vient tout droit des coffres du Commodore de Korell. »

Sutt tiqua.

Mallow sourit et continua : « Malheureusement pour vous, tout cela est très légal. Je suis Maître Marchand et les sommes que j'ai reçues étaient représentées par du fer usiné et de la chromite en échange d'un certain nombre de menus objets que j'ai fournis au Commodore. Cinquante pour cent des bénéfices m'appartiennent, au terme des accords conclus avec la Fondation. L'autre moitié va à la fin de chaque année dans les caisses du gouvernement, quand tous les bons citoyens paient leurs impôts sur le revenu.

— Votre rapport ne parlait pas d'un traité commercial.

— Il ne parlait pas non plus de ce que j'avais pris à mon petit déjeuner ce jour-là, ni du nom de ma maîtresse d'alors, ni d'aucun autre détail aussi dénué d'intérêt. On m'a envoyé — souvenez-vous de vos propres paroles — pour garder l'œil ouvert. J'ai suivi ces instructions. Vous vouliez savoir ce qu'il était advenu des appareils commerciaux de la Fondation tombés entre les mains des Korelliens. Je n'en ai jamais trouvé trace. Vous vouliez savoir si Korell possédait l'énergie atomique. Mon rapport mentionne que des revolvers atomiques se trouvent en la possession des gardes du corps du Commodore. Je n'en ai pas vu d'autres. Et les armes en question ne sont que des reliques de l'Empire, peut-être des pièces de musée hors d'état de marche.

« J'ai donc suivi vos consignes, mais pour le reste, j'étais et je suis encore libre de mes mouvements. Selon les lois de la Fondation, un Maître Marchand peut ouvrir de nouveaux marchés s'il en a la possibilité et percevoir sur ces opérations une part équivalant à la moitié des bénéfices. Quelles objections avez-vous à faire ? Je n'en vois pas pour ma part. »

Sutt baissa les yeux et, maîtrisant sa colère, dit : « La coutume veut que les Marchands fassent profiter la religion de leurs voyages.

— J'obéis à la loi et non pas à la coutume.

— Les coutumes sont parfois placées plus haut que les lois.

— Eh bien, citez-moi en justice, alors ! »

Sutt le foudroya du regard. « Vous êtes un Smyrnien, c'est vrai ! La naturalisation et l'éducation, au fond, n'y changent rien. Ecoutez-moi pourtant et tâchez de comprendre.

« Il ne s'agit plus seulement d'argent et de marchés. La science du grand Hari Seldon nous prouve que l'avenir du futur Empire de la Galaxie dépend de nous, nous ne pouvons nous détourner de cette route qui conduit à l'Empire. La religion que nous professons est le plus puissant instrument dont nous disposions à cette fin. Grâce à elle, nous avons placé sous notre contrôle les Quatre Royaumes, au moment même où ils nous auraient volontiers écrasés. C'est le moyen le plus formidable qu'on connaisse pour contrôler les hommes et les mondes.

« La principale raison du succès dont ont bénéficié les Marchands était que la religion se répandait rapidement en même temps que les techniques et l'économie nouvelles, qui en découlaient, demeuraient sous notre entier contrôle. »

Il se tut pour reprendre haleine et Mallow intervint d'une voix douce : « Je connais cette thèse. Je la comprends fort bien.

— Vraiment ? Je n'en attendais pas tant. Vous comprenez alors que votre tentative purement commerciale ; que votre production massive de pacotille qui n'affectera jamais qu'en surface l'économie d'une planète ; que la soumission de la politique interstellaire au dieu des bénéfices : que la séparation de l'énergie atomique et du contrôle religieux... que tout cela ne peut qu'amener l'absolu reniement de la politique qui a si bien fait ses preuves durant un siècle.

— Et il n'est que temps, dit Mallow, sans se démonter, car c'est une politique dépassée, dangereuse et impossible. Malgré tout le succès qu'elle a connu dans les Quatre Royaumes, votre religion n'a guère été acceptée ailleurs. A l'époque où nous avons mis la main sur les royaumes, il s'est trouvé assez d'exilés pour aller raconter partout comment Salvor Hardin s'est servi du clergé et de la superstition du peuple pour renverser des monarchies séculaires. Et pour ceux qui n'auraient pas compris, l'exemple d'Askone, il y a vingt ans, a été assez clair. Il n'y a pas aujourd'hui un chef d'Etat de la Périphérie qui n'aimerait mieux se couper la gorge plutôt que de laisser un prêtre de la Fondation pénétrer sur son territoire.

« Je n'entends pas forcer Korell ni aucun autre monde à accepter quelque chose dont ils ne veulent pas. Non, Sutt. Si la possession de l'énergie atomique les rend dangereux, une sincère amitié fondée sur de bonnes relations commerciales vaut mille fois mieux qu'une suzeraineté incertaine fondée sur la domination exécrée d'une puissance spirituelle étrangère qui, le jour où elle manifeste le plus léger symptôme de faiblesse, ne peut que s'écrouler irrémédiablement, sans rien laisser d'autre après elle qu'une crainte et qu'une haine inextinguibles.

— Remarquable exposé, fit Sutt, railleur. Et maintenant, pour en revenir à notre point de départ, quelles sont vos conditions ? Que demandez-vous pour échanger vos idées contre les miennes ?

— Vous croyez que mes convictions sont à vendre ?

— Pourquoi non ! répliqua l'autre. N'est-ce pas votre métier de vendre et d'acheter ?

— Seulement si j'y gagne, dit Mallow. M'offririez-vous plus que je ne gagne pour l'instant ?

— Vous pourriez garder trois quarts de vos bénéfices au lieu de la moitié.

— Vous plaisantez ! fit Mallow. Les échanges commerciaux tomberaient à dix pour cent de ce qu'ils sont actuellement avec vos méthodes. Il me faut mieux que cela.

— Vous pourriez avoir un siège au Conseil.

— Je l'aurai de toute façon, avec ou malgré vous. »

Sutt serra les poings. « Vous pourriez aussi vous épargner une peine de prison. Vingt ans, si je parviens à mes fins. Calculez un peu ce que cela représente de bénéfices !

— Aucun, à moins que vous ne soyez en mesure de mettre cette menace à exécution.

— Il me suffira d'intenter contre vous un procès pour meurtre.

— Le meurtre de qui ? » demanda Mallow, méprisant.

Sutt parlait d'un ton rauque maintenant, sans toutefois élever la voix : « Le meurtre d'un prêtre anacréonien, au service de la Fondation.

— Tiens, tiens. Et quelles preuves avez-vous ? »

Le secrétaire du Maire se pencha en avant. « Je ne bluffe pas, Mallow. Les travaux préparatoires sont achevés. Je n'ai qu'un document à signer pour que s'ouvre le procès de Hober Mallow, Maître Marchand. Vous avez abandonné un sujet de la Fondation aux mains d'une foule étrangère, Mallow, et vous avez cinq secondes pour échapper au châtiment que vous méritez. Pour ma part, je préférerais que vous continuiez à bluffer. J'aime mieux un ennemi abattu qu'un ami peu sûr.

— Vous êtes exaucé, dit Mallow.

— Parfait ! dit le secrétaire avec un sourire mauvais. C'est le Maire qui a voulu faire encore cette tentative de conciliation, pas moi. Vous conviendrez que je n'ai pas trop cherché à vous convaincre. »

La porte s'ouvrit devant lui et il sortit.

Mallow leva les yeux en voyant entrer Ankor Jael.

« Vous l'avez entendu ? demanda-t-il.

— Je ne l'ai jamais vu aussi en colère depuis que je le connais, cette crapule ! répondit Jael.

— Alors, votre avis ?

— Eh bien, je vais vous le donner. Il parle depuis toujours de dominer l'étranger par des moyens spirituels, mais je suis persuadé que ses préoccupations profondes sont rien moins que spirituelles. Je n'ai pas besoin de vous rappeler que j'ai été expulsé du cabinet pour avoir tenu les mêmes propos que je vous tiens maintenant.

— C'est exact. Et quelles sont, selon vous, les véritables préoccupations de Sutt ?

— Comme il est loin d'être stupide, il ne peut ignorer la banqueroute de notre politique religieuse qui n'a guère réussi de conquêtes nouvelles depuis soixante-dix ans. Donc, de toute évidence, il l'utilise à des fins qui lui sont personnelles.

« Or, tout dogme, qui s'appuie essentiellement sur la foi et la sentimentalité, est une arme dangereuse car il est à peu près impossible d'assurer qu'elle ne se retournera pas contre ceux qui en font usage. Voilà cent ans maintenant que nous prônons un rituel et une mythologie de plus en plus vénérables, traditionnels et immuables. A certains égards, cette religion n'est plus tout à fait sous notre contrôle.

— Comment cela ? demanda Mallow. Je vous suis mal.

— Bon. Supposez qu'un homme, un homme ambitieux veuille se servir de la force de la religion contre nous, plutôt que pour nous soutenir.

— Vous parlez de Sutt...

— Parfaitement. Enfin, mon cher, s'il parvenait à mobiliser au nom de l'orthodoxie les divers collèges religieux des planètes-satellites contre la Fondation, pouvez-vous me dire quelles chances nous aurions de lui résister ? En se mettant à la tête des dévots, il pourrait déclarer la guerre à l'hérésie, incarnée par exemple en vous, et se proclamer roi. Après tout, n'est-ce pas Hardin qui disait : « Un fusil atomique est une arme excellente, mais on peut le braquer dans la direction que l'on veut. »

Mallow se frappa la cuisse. « D'accord, Jael, alors faites-moi entrer au Conseil et je le combattrai. »

Jael demeura un instant songeur. « Vous n'y arriverez peut-être pas. Qu'est-ce que c'est que cette histoire de prêtre lynché ? Cest inventé de toutes pièces, n'est-cc pas ?

— C'est tout à fait exact », dit Mallow d'un tôn calme.

Jael émit un long sifflement. « Et il a des preuves ?

— Il devrait. » Mallow hésita, puis ajouta : « Jaim Twer a toujours été à sa dévotion, mis ni l'un ni l'autre ne savait que j'étais au courant. Or, Jaim Twer a assisté à la scène. »

Jael hocha la tête. « Hu, hu. Mauvais.

— Pourquoi ? Daprès les lois mêmes de la Fondation, ce prêtre se trouvait sur la planète illégalement. Je suis sûr que le gouvernement korellien s'est servi de lui comme d'un appât, avec ou sans son consentement. Le bon sens ne me laissait pas le choix, et la solution que j'ai adoptée était strictement légale. Si Sutt me cite en justice, il ne fera que se couvrir de ridicule. »

Jael ne parut pas sensible à ce raisonnement.

« Non, Mallow, voús n'y êtes pas. Je vous ai dit qu'il ne reculait devant rien. Il ne compte pas vous condamner ; il sait qu'il n'en a pas la possibilité. Mais il va ruiner votre réputation. Vous avez entendu ce qu'il vous a dit : les coutumes sont parfois plus importantes que les lois. Vous sortirez du procès acquitté, mais si les gens croient que vous avez abandonné un prêtre aux mains des émeutiers, c'en est fini de votre popularité.

« Ils admettront que vous avez choisi la solution légale, et même raisonnable. Mais il n'empêche qu'à leurs yeux vous resterez un lâche, une brute au cœur de pierre, un monstre. Et jamais vous ne serez élu conseiller. Peut-être même perdrez-vous votre position de Maître Marchand en vous faisant retirer votre citoyenneté. Vous n'êtes que naturalisé, vous savez. Que croyez-vous que Sutt demande de plus ?

— Ah ! vous croyez cela ? fit Mallow.

— Mon garçon, dit Jael, je vous appuierai, mais je ne peux rien faire pour vous aider. Vous êtes dans le pétrin... dans un joli pétrin. »

XII

La salle du Conseil était pleine à craquer en ce quatrième jour du procès de Hober Mallow, Maître Marchand. Le seul conseiller absent maudissait dans son lit la fracture qui l'immobilisait. Les galeries même étaient encombrées de gens que l'influence, la richesse ou une persévérance diabolique avaient réussi à faire pénétrer dans la salle. Le reste de la foule était devant le palais, massée en petits groupes autour des visiphones en 3 D.

Ankor Jael, avec l'aide du service d'ordre, se fraya un chemin jusqu'à sa place, et de là jusqu'auprès du siège qu'occupait Hober Mallow.

« Ah ! bravo, fit celui-ci, vous avez pu passer. Vous avez la bobine ?

— Tenez, dit Jael. Voilà ce que vous m'aviez demandé.

— Bon. Comment prennent-ils la chose dehors ?

— Ils sont déchaînés, fit Jael. Vous n'auriez jamais dû tolérer que les débats fussent publics.

— Mais si, j'y tenais.

— On parle de lynchage. Et les hommes de Publis Manlio...

— J'allais vous interroger à ce sujet, Jael. Il monte les collèges religieux contre moi, je présume.

— S'il les monte ? Mais c'est la plus belle machination qu'on puisse rêver. En qualité de secrétaire aux Affaires Etrangères, c'est lui qui joue le rôle de procureur dans les cas relevant de la juridiction interstellaire. En tant que Grand Prêtre et que primat de l'Eglise, il excite les hordes de fanatiques...

— Bah, n'y pensons plus. Vous souvenez-vous de la phrase de Hardin que vous me citiez le mois dernier ? Eh bien, nous allons leur montrer qu'un fusil atomique peut être braqué dans n'importe quelle direction. »

Le Maire faisait son entrée, et les conseillers se levèrent.

« C'est mon tour aujourd'hui, murmura Mallow. Asseyez-vous, ça va être drôle. »

On procéda aux formalités préliminaires, et quinze minutes plus tard, Hober Mallow s'avançait au milieu des regards hostiles, jusqu'au pied du pupitre où trônait le Maire. Un pinceau lumineux le suivait et sur les écrans des visiphones publics aussi bien que sur ceux des appareils privés qu'on trouvait dans presque chaque foyer, la haute silhouette de l'accusé se découpa, solitaire.

Il commença d'un ton parfaitement détaché : « Pour gagner du temps, je reconnais l'exactitude de tous les chefs d'accusation relevés contre moi. L'histoire du prêtre et de l'émeute telle que l'a évoquée le procureur est tout à fait exacte. »

Un murmure parcourut l'assistance. L'accusé attendit que le silence se fût rétabli.

« Toutefois, le tableau qu'il a brossé n'est pas complet. Je demande l'autorisation de le compléter à ma façon. Mon récit pourra du premier abord vous paraître sans rapport avec ce qui nous occupe ; je vous prie de m'en excuser d'avance.

« Je commencerai au même point que l'a fait l'accusation : à savoir par mes entretiens avec Jorane Sutt et Jaim Twer. Ce qui s'est passé lors de ces entretiens, vous le savez. On vous a rapporté les paroles qui furent échangées et je n'ai rien à ajouter à cela, sinon quelques réflexions.

« Ces conversations me laissèrent un sentiment de méfiance, et vous conviendrez que ce sentiment était justifié. Comment, voilà deux personnages que je ne connais que superficiellement et qui me font des propositions insensées.

Le premier, le secrétaire du Maire, me demande de jouer le rôle d'agent secret du gouvernement et de remplir une mission extrêmement confidentielle, dont on vous a déjà expliqué la nature et l'importance. Le second, chef d'un parti politique, me demande de me présenter aux élections.

« Je cherchai, bien sûr, leurs vrais motifs. Celui de Sutt semblait assez évident. Il n'avait pas confiance en moi. Peut-être croyait-il que je vendais à l'ennemi des secrets atomiques et que je préparais une révolte. Peut-être voulait-il ou pensait-il précipiter les événements. Dans ce cas, il lui fallait pour m'accompagner dans ma mission un homme à lui qui m'espionnerait. Cette pensée toutefois ne me vint que plus tard, quand Jaim Twer apparut.

« Qu'on y réfléchisse en effet : Twer se présente comme un Marchand qui a renoncé au commerce pour la politique, et pourtant je ne sais rien de sa carrière commerciale, bien que je connaisse fort bien la question. Qui plus est, bien que Twer se vante d'avoir reçu une éducation laïque, *il n'a jamais entendu parler d'une crise Seldon.* »

Hober Mallow marqua un temps pour bien insister sur ce point ; pour la première fois, un long silence accueillit ses déclarations : l'auditoire retenait son souffle. Seuls les habitants de Terminus pouvaient profiter de la retransmission complète de l'audience. Les gens des planètes extérieures n'entendraient que des versions censurées conformes aux exigences de la religion. On ne leur dirait rien des crises Seldon. Mais ils en apprendraient quand même de belles.

Mallow poursuivit :

« Comment un homme ayant reçu une éducation laïque pourrait-il ignorer ce qu'est une crise Seldon ? Il n'existe sur la Fondation qu'un système d'éducation où l'on évite toute allusion à la planification de l'histoire par Seldon et où on traite ce personnage comme une figure à demi mythique de sorcier...

« J'ai compris alors que Jaim Twer n'avait jamais été Marchand. J'ai su qu'il avait été dans les ordres et qu'il était peut-être même un prêtre ; en tout cas, durant les trois années qu'il se prétendit à la tête d'un parti politique des

Marchands, *il n'avait été que l'homme de paille de Jorane Sutt.*

« Je décidai alors de frapper dans le noir. J'ignorais quelles étaient les intentions de Sutt à mon égard, mais puisqu'il semblait disposé à me laisser un peu la bride sur le cou, j'allais jouer son jeu. Twer, à mon avis, devait m'accompagner dans mon voyage pour me surveiller. S'il ne venait pas, je savais que Sutt trouverait d'autres moyens de m'épier, moyens dont peut-être je ne m'apercevrais pas tout de suite. Mieux valait connaître l'ennemi. J'invitai donc Twer à m'accompagner. Il accepta.

« Ceci, messieurs les conseillers, explique deux choses. D'abord, cela prouve que Twer n'est pas un de mes amis témoignant à son corps défendant contre moi, pour obéir à sa conscience, comme l'accusation voudrait le faire croire. C'est un espion, qui s'acquitte de la besogne pour laquelle il est payé. Second point, cela justifie certaine décision que j'ai prise lors de l'apparition de ce prêtre que je suis accusé d'avoir tué, décision dont on n'a point encore parlé, puisque personne n'en a eu connaissance. »

Mallow s'éclaircit la gorge et continua :

« Il m'est pénible de rappeler quels furent mes sentiments quand la nouvelle me parvint que nous avions un missionnaire réfugié à bord. Mon impression dominante était celle d'une terrible certitude. Il s'agissait, pensai-je, d'une initiative de Sutt, mais dont la portée m'échappait. J'étais tout à fait désorienté.

« Je ne pouvais faire qu'une chose. Je me débarrassai de Twer pour cinq minutes en l'envoyant rassembler l'équipage. Profitant de son absence, j'installai un viso-enregistreur afin que ce qui allait se produire demeurât fixé pour pouvoir être étudié plus tard tout à loisir. Ceci, dans l'espoir que ce qui me déconcertait alors se révélerait peut-être parfaitement clair avec le recul du temps.

« J'ai depuis fait passer quelque cinquante fois cette bobine. Je l'ai apportée aujourd'hui et je me propose de répéter l'opération pour la cinquante et unième fois devant vous. »

Le Maire frappa quelques coups de marteau pour demander le silence. Dans cinq millions de foyers de Terminus, des spectateurs passionnés se rapprochèrent de leurs appareils, tandis que, sur l'estrade, Jorane Sutt faisait un signe de tête au Grand Prêtre, qui semblait fort nerveux.

On débarrassa le centre de la salle, on baissa les lumières. Ankor Jael procéda aux derniers réglages et, après un léger déclic, une scène se joua sous les yeux du public, en couleurs et en relief, ayant en bref tous les attributs de la vie sauf la vie elle-même.

On vit d'abord le missionnaire, affolé et bredouillant, planté entre le lieutenant et le sergent, Mallow attendant en silence, tandis que l'équipage se massait dans la salle, Twer fermant la marche.

La conversation qui s'était tenue ce jour-là se répéta, mot pour mot. Le sergent fut réprimandé par Mallow, le missionnaire interrogé. Puis on vit la foule s'approcher, on l'entendit gronder, le révérend Jord Parma lança ses déchirantes supplications. Mallow dégaina son arme et le missionnaire fut entraîné par les soldats, levant les bras en une ultime malédiction, une brève lueur apparut puis s'éteignit aussitôt au-dessus de sa tête.

La scène s'acheva sur la vision des officiers figés d'horreur, tandis que Twer portait les mains à ses oreilles et que Mallow rengainait tranquillement son arme.

On ralluma. Le vide qu'on avait ménagé au centre de la salle apparut vide de nouveau. Mallow, le vrai Mallow en chair et en os, reprit le cours de son récit.

« Cet incident est donc exactement tel que vous l'a présenté l'accusation... en apparence du moins. Je vais bientôt revenir sur ce point. Les réactions de Jaim Twer montrent bien, soit dit en passant, qu'il a reçu une éducation religieuse.

« Ce même jour je lui fis observer certains détails incongrus. Je lui demandai d'où avait pu venir ce missionnaire, et comment une pareille foule avait pu se rassembler, alors que nous étions à plus de cent cinquante kilomètres de l'agglomération la plus proche. L'accusation ne s'est pas arrêtée sur ces problèmes.

« Ni sur le fait, par exemple, que Jord Parma portait un costume bien voyant. Un missionnaire qui brave au mépris de sa vie les lois de Korell et de la Fondation, ne se promène pas dans une tenue aussi criarde. Sur le moment, je crus que Parma était à son insu le complice du Commodore qui l'utilisait comme appât, afin de nous amener à commettre un délit qui lui permettrait de nous anéantir, nous et notre astronef, en demeurant dans le cadre de la légalité.

L'accusation a prévu que je chercherais à me justifier ainsi. Elle s'attendait à m'entendre déclarer que la sécurité de mon astronef et de mon équipage, que ma mission même étaient en jeu et que je ne pouvais tout sacrifier pour sauver un homme qui, de toute façon, avec ou sans nous, aurait péri. Elle m'objecte « l'honneur » de la Fondation et de la nécessité de garder notre « dignité » afin de maintenir notre ascendant.

« Cependant, on remarquera que l'accusation ne semble pas attacher beaucoup d'importance à Jord Parma en tant qu'individu. On ne vous a donné sur son compte aucun détail ; on ne vous a parlé ni de sa date de naissance, ni de son éducation, ni de sa carrière. Cela est dû aux mêmes raisons qui expliquent les anomalies de l'enregistrement visiphonique auxquelles j'arrive maintenant.

« L'accusation n'a pas beaucoup parlé de Jord Parma parce qu'elle ne pouvait rien dire à son sujet. La scène que vous venez de voir au visiphone sonne faux parce que Jord Parma joue son rôle. Jord Parma n'a jamais existé. *Tout ce procès n'est qu'une vaste farce.* »

Une fois encore il dut attendre que l'agitation se fût calmée. Il reprit alors :

« Je vais vous montrer l'agrandissement d'une image de l'enregistrement qui se suffit à elle-même. Lumière, Jael, je vous prie. »

On baissa de nouveau les lumières et l'ont vit réapparaître les silhouettes pétrifiées des officiers du *Far Star*. Mallow tenait son revolver atomique à la main. A sa gauche, le révérend Jord Parma avait la bouche ouverte, et les manches de sa robe retombaient sur ses bras levés vers le ciel.

Une lueur brillait au poignet du missionnaire, celle-là même qui tout à l'heure avait jeté un éclat fugitif.

« Regardez ce point brillant, cria Mallow. Agrandissez encore, Jael ! »

L'image grossit démesurément, et bientôt la silhouette du missionnaire emplit seule l'espace, puis on ne vit plus que son bras, puis seulement sa main, qui se détachait, immense et décharnée.

Le point lumineux était devenu un assemblage de lettres aux contours fluorescents : P S K.

« Vous voyez là, messieurs, expliqua Mallow, un tatouage invisible à la lumière ordinaire, mais qu'on distingue fort bien à la lumière ultraviolette — dont j'avais baigné la salle en branchant mon enregistreur visiphonique. C'est peut-être une méthode un peu naïve d'identification, mais elle donne d'excellents résultats sur Korell, où l'on ne trouve pas de projecteurs à U. V. à tous les coins de rue. Même à bord, c'est par hasard que j'ai fait cette découverte.

« Peut-être certains d'entre vous ont-ils déjà deviné ce que signifiaient ces initiales P S K. Jord Parma connaissait le jargon des prêtres et il jouait son rôle en comédien accompli. Où il l'avait appris et comment, je ne saurais vous le dire, mais P S K signifie Police Secrète Korellienne. »

Mallow poursuivit, en criant, pour dominer le tumulte :

« J'ai d'autres preuves à l'appui de ce que j'avance, sous la forme de documents que j'ai rapportés de Korell et que je tiens à la dispostition de la Cour.

« Que reste-t-il alors de l'accusation ? On a déjà dit et répété que j'aurais dû combattre pour le missionnaire, au mépris de la loi, et quitte à sacrifier la réussite de ma mission, mon astronef, tout mon équipage et moi-même pour l'honneur de la Fondation ?

Mais ledit missionnaire était un imposteur !

« Aurais-je dû intervenir alors pour un agent secret korellien qui utilisait la garde-robe et l'éloquence empruntées sans doute à quelque exilé anacréonien ? Jorane Sutt et Publis Manlio auraient-ils voulu me voir tomber dans ce piège stupide ?... »

Sa voix se noya dans les clameurs de la foule. Des hommes le hissèrent sur leurs épaules et le portèrent jusque sur l'estrade. Par les fenêtres, il apercevait des torrents humains qui se mouvaient sur la place.

Il chercha des yeux Ankor Jael, mais il ne put distinguer un seul visage dans cette masse grouillante. Peu à peu, il finit par apercevoir un cri scandé que reprenait la foule, avec une vigueur inlassable : « Vive Mallow... vive Mallow... »

Ankor Jael fixait le visage défait de Mallow. Ç'avaient été deux jours de folie, deux jours où ni l'un ni l'autre n'avaient fermé l'œil.

« Vous avez fait une remarquable exhibition, Mallow. Ne gâchez pas tout maintenant en voulant sauter trop haut. Vous ne pouvez songer à briguer sérieusement le poste de Maire. L'enthousiasme populaire est une force puissante, mais éphémère.

— En effet ! dit Mallow, aussi devons-nous l'entretenir ; le meilleur moyen d'y parvenir me semble être de continuer l'exhibition.

— Qu'allez vous faire maintenant ?

— Vous allez arrêter Publis Manlio et Jorane Sutt...

— Comment ?

— Vous avez bien entendu. Que le Maire les fasse arrêter ! Peu m'importent les menaces que vous emploierez. Je tiens la foule... pour aujourd'hui, en tout cas. Il n'osera pas l'affronter.

— Mais sous quel prétexte les arrêter, mon cher ?

— Sous le meilleur. Ils ont incité le clergé des planètes extérieures à prendre parti dans les querelles de la Fondation. C'est interdit depuis Seldon. Accusez-les d'atteinte à la sûreté de l'Etat. Et je me fiche pas mal qu'ils soient condamnés ou non. Je ne veux simplement plus les avoir sur mon chemin jusqu'à ce que je sois Maire.

— Les élections sont dans six mois.

— Nous n'aurons pas trop de temps » Mallow se leva d'un bond et saisit Jael par le bras. « Ecoutez, je m'emparerais du gouvernement par la force, s'il le fallait... comme l'a fait Salvor Hardin cent ans avant moi. Nous sommes toujours sous la menace d'une crise Seldon, et quand elle se produira, il faudra que je sois Maire et aussi Grand Prêtre.

— D'où viendra-t-elle, cette crise ? demanda Jael. De Korell ? »

Mallow acquiesça. « Naturellement. Ils nous déclareront la guerre un de ces jours, mais je parie bien que cela demandera encore un an ou deux.

— Avec des astronefs atomiques ?

— Qu'est-ce que vous croyez ? Ces trois appareils marchands que nous avons perdus dans leurs parages n'ont pas été abattus avec des pistolets à air comprimé. Jael, c'est l'Empire qui leur fournit des appareils. Ne prenez pas cet air ahuri. J'ai dit : l'Empire ! Il existe toujours, vous savez. Il a peut-être disparu de la Périphérie, mais dans le centre de la Galaxie, il est toujours vigoureux. Et au premier faux pas que nous ferons, il nous brise les reins. C'est pourquoi je dois être Maire et Grand Prêtre. Je suis le seul homme qui sache combattre la crise.

— Comment cela ? demanda Jael. Qu'allez-vous faire ?

— Rien. »

Jael eut un pâle sourire. « Vraiment !

— Quand je serai maître de cette Fondation, répliqua Mallow, d'un ton catégorique, je ne ferai rien. Absolument rien, et c'est cela l'arme secrète qui résoudra cette crise. »

XIII

Asper Argo, le Bien-Aimé, Commodore de la République Korellienne, accueillit sa femme par un haussement des sourcils inquiet. Avec elle, en tout cas, son surnom n'était pas de mise. Il le savait.

Elle dit d'une voix aussi glacée que son regard :

« Mon gracieux seigneur, d'après ce que j'ai compris, a fini par prendre une décision radicale en ce qui concerne la Fondation.

— Ah oui ? fit le Commodore d'un ton acide. Et que vous a révélé d'autre votre géniale intuition ?

— Beaucoup de choses, mon très noble époux. Vous avez eu un nouvel entretien avec vos conseillers. Jolis conseillers, ajouta-t-elle d'un ton railleur. Une bande d'abrutis qui serrent leurs gains contre leur maigre poitrine sous l'œil courroucé de mon père.

— Et de quelle source, ma chère, tirez-vous ces précieux renseignements ?

— Si je vous le disais, fit-elle avec un rire léger, ma source aurait tôt fait de devenir cadavre.

— Comme il vous plaira, dit le Commodore en haussant les épaules. Quant au courroux de votre père, je crains fort qu'il se manifeste surtout par un refus mesquin de me fournir d'autres astronefs.

— D'autres astronefs ! s'écria-t-elle. N'en avez-vous pas déjà cinq ? Ne le niez pas. Je sais que vous en avez cinq ; et on vous en a promis un sixième.

— Il était promis pour l'année dernière.

— Mais il suffit d'un — rien qu'un — pour réduire en cendres cette Fondation. Un astronef... et leurs ridicules petits appareils sont balayés de l'espace.

— Même avec une douzaine, je ne pourrais attaquer leur planète.

— Mais combien de temps tiendrait-elle, leur planète, une fois leur commerce arrêté et l'embargo mis sur leurs cargaisons de pacotille ?

— Cette pacotille nous rapporte de l'argent, soupira le Commodore. Beaucoup d'argent.

— Mais, si vous possédiez la Fondation, ne seriez-vous pas par-là même maître de tout ce qu'elle contient ? Et si vous aviez le respect et la gratitude de mon père, cela ne vaudrait-il pas mieux encore que tout ce que la Fondation pourrait vous donner ? Voici trois ans maintenant que ce barbare a débarqué ici avec son matériel de prestidigitateur. C'est bien assez long.

— Ma chère ! fit le Commodore en se tournant vers elle, je vieillis. Je me fatigue. Je n'ai plus la résistance nécessaire pour souffrir votre babillage. Vous savez, dites-vous, que je me suis décidé. C'est vrai. Tout est réglé et Korell est en guerre avec la Fondation.

— Enfin ! » Le visage de la femme du Commodore

s'éclaira. « Vous avez fini par comprendre. Quand vous aurez conquis ce monde perdu, peut-être serez-vous assez respectable pour pouvoir tenir votre rang dans l'Empire. Nous pourrions quitter cette planète de sauvages et nous installer à la cour du vice-roi. Ce serait une excellente idée. »

La main sur la hanche, elle le regardait en souriant. Puis elle tourna les talons, et sortit.

Le Commodore attendit un instant, puis, s'adressant à la porte close, il déclara d'un ton haineux : « Quand j'aurai conquis ce que vous appelez un monde perdu, peut-être serai-je assez respectable pour pouvoir me passer de l'arrogance de votre père et de la langue de vipère de sa fille. Pour pouvoir m'en passer complètement ! »

XIV

Le commandant en second de la *Nébuleuse* fixait l'écran du transviseur d'un air horrifié.

« Galaxie ! souffla-t-il d'une voix étranglée. Qu'est-ce que c'est que ça ? »

Ça, c'était un astronef, mais un appareil géant auprès duquel la *Nébuleuse* faisait figure d'un goujon à côté d'une baleine ; il arborait sur son flanc le Soleil et l'Astronef, emblèmes de l'Empire. Le branle-bas de combat fut proclamé à bord.

On lança des ordres : la *Nébuleuse* s'apprêta à fuir si elle le pouvait, à combattre s'il le fallait, tandis que, du poste des transmissions, un message partait à travers l'hyperespace vers la Fondation.

Un message que l'opérateur répétait de cinq minutes en cinq minutes : un appel à l'aide, mais plus encore un signal d'alarme.

Hober Mallow parcourait les rapports d'un air las. Deux ans de mairie l'avaient un peu assagi, il était plus patient, plus diplomate ; mais il n'avait pu encore se faire aux rapports officiels et surtout à la langue compassée dans laquelle ils étaient rédigés.

« Combien d'appareils touchés ?

— Quatre bloqués au sol. Deux considérés comme perdus. Tous les autres repérés.

— Nous aurions dû faire mieux, grommela Mallow. Enfin, il ne s'agit que d'une escarmouche. »

Comme l'autre ne répondait pas, Mallow leva les yeux vers lui : « Il y a quelque chose qui vous tracasse ?

— Je regrette que Sutt ne soit pas ici.

— Allons bon, vous allez nous faire une conférence sur le front intérieur.

— Pas du tout, dit Jael, d'un ton sec, mais vous êtes entêté, Mallow. Vous avez peut-être étudié dans ses moindres détails la situation internationale, mais vous ne vous êtes jamais soucié de ce qui ce passait ici

— Mais, c'est votre travail, il me semble ? Pourquoi croyez-vous que je vous ai nommé ministre de l'Education et de la Propagande ?

— Sans doute pour me faire vieillir plus vite, étant donné le peu d'appui que vous me donnez dans ma tâche. Voilà un an que je vous parle sans arrêt du danger que représentent Sutt et ses Religionnistes. A quoi serviront vos plans si Sutt fait un coup de force à l'occasion des prochaines élections et réussit à vous évincer ?

— A rien, j'en conviens.

— Et votre discours d'hier soir avait vraiment l'air d'avoir été écrit pour faciliter la campagne de Sutt. Etait-ce bien nécessaire d'être aussi franc ?

— Vous n'avez pas compris que je voulais couper l'herbe sous les pieds de mon adversaire ?

— Eh bien, fit Jael, furieux, vous n'y êtes pas arrivé. Vous prétendez avoir tout prévu, mais vous n'expliquez pas pourquoi vous avez fait du commerce avec Korell pendant trois ans, pour le seul bénéfice des Korelliens. Votre seul plan de bataille consiste à battre en retraite sans combat. Vous renoncez à toute relation commerciale avec les secteurs voisins de Korell. Vous proclamez ouvertement vos intentions pacifiques. Vous ne promettez même pas une offensive d'ici quelque temps. Par la Galaxie ! Mallow, que voulez-vous que je fasse de ça ?

— Ça n'accroche pas ?

— Ça ne parle pas au sentiment populaire.

— C'est la même chose.

— Voyons, Mallow, réveillez-vous. Vous n'avez que deux solutions. Ou bien entreprendre une politique étrangère dynamique, ou bien parvenir à un compromis avec Sutt.

— Parfait, dit Mallow. Eh bien, puisque la première solution est peu satisfaisante, essayons la seconde. Sutt vient d'arriver. »

Sutt et Mallow ne s'étaient pas rencontrés depuis le jour du procès, deux ans auparavant. Ni l'un ni l'autre n'avaient changé ; seules, de subtiles modifications, à peine perceptibles, montraient que les rôles maintenant étaient renversés et que les leviers de commande avaient passé à celui qui, jadis, bravait l'autorité.

Sutt s'assit sans serrer la main de Mallow.

« Ça ne vous ennuie pas que Jael assiste à notre conversation ? demanda Mallow en lui offrant un cigare. Il souhaite ardemment que nous parvenions à un compromis. Si nous nous échauffons tous les deux, il peut jouer le rôle de médiateur. »

Sutt haussa les épaules. « Un compromis ne peut servir que vos intérêts. Dans des circonstances analogues, je me souviens de vous avoir demandé un jour quelles étaient vos conditions. Je suppose que nous nous trouvons aujourd'hui dans la position inverse.

— Votre supposition est exacte.

— Alors, voici mes conditions : Vous abandonnez votre politique de corruption économique pour revenir à la politique étrangère raisonnable que pratiquaient nos pères.

— Vous voulez parler de la conquête par l'entremise des missionnaires ?

— Oui.

— Sinon, vous n'acceptez pas de compromis ?

— Voilà.

— Hmmm. » Mallow alluma un cigare et aspira profondément la fumée. « Du temps de Hardin, quand les missionnaires soutenaient nos travaux de conquête, c'étaient des hommes comme vous qui condamnaient la nouvelle politique. Aujourd'hui qu'on en a fait l'expérience, vous la trouvez raisonnable, sage, douée de toutes les qualités susceptibles de séduire un Jorane Sutt. Mais, dites-moi, comment nous tirerez-vous du pétrin où nous sommes ?

— Vous voulez dire de celui où *vous* nous avez mis ? Je n'y suis pour rien.

— Si vous voulez.

— Une offensive énergique s'impose. L'inaction dans laquelle vous vous obstinez est fatale. C'est un aveu de faiblesse vis-à-vis de toute la Périphérie ; et vous savez combien il est important pour nous de sauver la face : il ne manque pas de vautours qui ne demandent qu'à venir dépouiller notre cadavre. Vous devriez le comprendre. Vous êtes de Smyrno, n'est-ce pas ? »

Mallow, sans relever l'allusion, demanda :

« Et si vous écrasez Korell, que faites-vous de l'Empire ? Voilà le véritable ennemi. »

Sutt eut un sourire narquois. « Oh ! non, les rapports que vous avez communiqués à la suite de votre visite sur Siwenna sont significatifs. Le vice roi du secteur normanique tient à provoquer des troubles dans la Périphérie parce qu'il compte en profiter, mais ce n'est là qu'un à-côté de la question. Il ne va pas risquer toutes ses forces dans une expédition aux confins de la Galaxie alors qu'il est entouré de cinquante voisins plus hostiles les uns que les autres, et qu'il a encore un empereur contre qui se soulever. Je ne fais que paraphraser vos propres paroles.

— Mais si, Sutt, il pourrait nous attaquer, s'il nous estime assez forts pour être dangereux. Et ce pourrait bien être son avis si nous détruisons Korell après l'avoir attaquée de front. Nous devons faire montre d'une extrême subtilité.

— C'est-à-dire... »

Mallow se carra dans son fauteuil. « Sutt, je vais vous laisser une chance. Je n'ai pas besoin de vous, mais vous pouvez me servir. Je vais donc vous dire où nous en sommes et vous pourrez alors soit vous ranger de mon côté et participer à un gouvernement de coalition, soit jouer les martyrs et croupir en prison.

— Vous avez déjà eu recours à cette dernière solution.

— Pas pendant longtemps, Sutt. Mais, aujourd'hui, ce ne serait plus pareil. Ecoutez-moi bien. La première fois que j'ai débarqué sur Korell, je me suis acquis l'amitié du Commodore, grâce à la pacotille dont disposent d'ordinaire les Marchands. Il ne s'agissait, au début, pour moi, que d'obtenir l'accès à une fonderie. Je n'avais pas d'autre plan, et j'obtins ce que je voulais. Ce ne fut qu'après ma visite à l'Empire que je compris exactement quelle arme pouvaient devenir ces relations commerciales.

« Nous sommes en présence d'une crise Seldon, Sutt, et ce ne sont pas les individus, mais les forces historiques qui la résoudront. Hari Seldon, quand il a calculé le cours que devait suivre notre évolution historique, n'a pas compté sur les brillants exploits d'une poignée de héros, mais sur les grandes tendances économiques et sociales. Les crises Seldon doivent donc être combattues au moyen des forces dont nous disposons à l'époque où elles se produisent.

« En cette occurrence : le commerce ! »

Sutt prit un air dubitatif et profita du silence de Mallow pour glisser : « J'espère ne pas être d'une intelligence trop au-dessous de la moyenne, mais je dois dire que votre conférence n'a guère éclairé ma lanterne.

— Attendez, fit Mallow. Considérez que jusqu'à maintenant on a sous-estimé la puissance du commerce. On croyait qu'il fallait un clergé sous contrôle de la Fondation pour en faire une arme puissante. Il n'en est rien, et, c'est là la contribution que j'apporte à la solution du problème : un commerce sans prêtres ! Du commerce pur ! Le commerce est assez fort pour se passer des prêtres. Mais, trêve de généralités, revenons à ce qui nous occupe : Korell est maintenant en guerre avec nous. Nous avons donc cessé toute relation commerciale avec elle. Mais, depuis trois ans, l'économie de Korell dépend de plus en plus des techniques atomiques que nous avons introduites là-bas et qui ne peuvent continuer qu'avec les matériaux que nous fournissons. Que va-t-il se passer, à votre avis, quand les générateurs atomiques microscopiques qui animent les instruments que nous leur avons vendus s'arrêteront et que, l'un après l'autre, tous ces merveilleux petits appareils cesseront de fonctionner ?

« Les appareils domestiques vont se détraquer les premiers. Après six mois de cette inaction que vous abhorrez tant, les couteaux atomiques de cuisine ne découperont plus rien. Les fours atomiques ne chaufferont plus. La machine à laver sera hors d'usage. Le climatiseur va s'arrêter au beau milieu d'une étouffante journée d'été. Qu'en dites-vous ? »

Il attendit la réponse de Sutt. « Je n'en dis rien, fit celui-ci. En temps de guerre, les gens en supportent bien d'autres.

— Exact. Ils enverront leurs fils se faire massacrer par milliers dans des astronefs qui se briseront en vol. Ils accepteront de vivre de pain et d'eau dans des abris souterrains durant les bombardements ennemis. Mais la résistance devant les petits ennuis faiblit vite quand on n'a pas pour vous aiguillonner le sentiment patriotique que le pays est en danger. Cela va être une période où il ne se passera rien. Pas de blessés, pas de bombardements, pas de batailles.

« Simplement un couteau qui ne coupera pas, un four qui ne chauffera plus, une maison qui gèlera en hiver. Ce sera désagréable et les gens murmureront.

— C'est là-dessus que vous fondez vos espoirs ? fit Sutt, incrédule. Qu'attendez-vous ? Une révolte des ménagères ? Une jacquerie ? Un soulèvement des bouchers et des épiciers qui crieront : Rendez-nous nos machines à laver automatiques Super-Essor ?

— Non, mon cher, non, dit Mallow. Ce n'est pas là-dessus que je compte. Je m'attends, en revanche, à voir se développer un climat de mécontentement qu'exploiteront, par la suite, des personnages plus importants.

— Lesquels ?

— Les industriels, les propriétaires d'usines, les fabricants de Korell. Au bout de deux ans du régime actuel, les machines commenceront à tomber en panne, l'une après l'autre. Ces industries que nous avons bouleversées en les faisant bénéficier de nos multiples appareils atomiques vont se trouver ruinées. Les magnats de l'industrie lourde ne posséderont plus, du jour au lendemain, que des tas de ferraille inutile.

— Les usines tournaient bien avant votre arrivée, Mallow.

— Je sais, Sutt, et elles faisaient environ vingt fois moins de bénéfices ; et je ne parle même pas de ce que coûterait la reconversion de l'industrie sur des bases non atomiques. Quand il aura contre lui les financiers, les industriels et les Korelliens moyens, combien de temps croyez-vous que le Commodore pourra tenir ?

— Aussi longtemps qu'il voudra, dès qu'il aura l'idée de demander à l'Empire de nouveaux générateurs. »

Mallow éclata de rire. « Vous n'avez rien compris, Sutt. Vous avez commis la même erreur que le Commodore. Ecoutez-moi bien : l'Empire ne peut rien remplacer. L'Empire a toujours été un ensemble aux ressources immenses. Ses techniciens ont tout calculé à l'échelle de planètes, de systèmes stellaires entiers, de secteurs de la Galaxie. Leurs générateurs sont gigantesques parce qu'eux-mêmes ont tout vu à une échelle gigantesque.

« Mais nous, nous, petite Fondation, avec notre unique planète, pratiquement sans ressources métalliques, nous avons dû repartir de zéro. Il nous a fallu construire des générateurs gros comme le pouce parce que nous n'avions pas beaucoup de métal. Nous avons dû mettre au point des techniques et des méthodes nouvelles, que l'Empire est incapable d'appliquer parce que ses ingénieurs en sont à un point de décadence qui ne leur permet plus de faire des découvertes scientifiques.

« Ils ont peut-être des écrans radioactifs assez vastes pour protéger un astronef, une ville, une planète entière, mais ils n'ont jamais été fichus d'en construire qui soient capables de protéger un individu. Pour fournir de l'électricité à une ville, pour la chauffer, ils ont des moteurs grands comme un immeuble de six étages : je le sais, je les ai vus. Alors que les nôtres pourraient tenir dans cette pièce. Et quand j'ai dit à un de leurs spécialistes qu'un boîtier de plomb gros comme une noix contenait un générateur atomique, il a failli étouffer d'indignation.

« Ils ne savent même plus comment fonctionnent leurs

colosses. Les machines tournent automatiquement depuis des générations et les surveillants forment une caste héréditaire dont aucun membre ne serait capable de changer une lampe D si jamais elle grillait.

« La guerre se ramène à un conflit entre ces deux systèmes : l'Empire et la Fondation ; le colosse et le nain. Pour s'emparer d'un monde, les gens de l'Empire le comblent d'astronefs qui peuvent servir à faire la guerre, mais qui ne présentent aucun intérêt au point de vue économique. Tandis que nous, nous inondons les planètes de petits appareils inutiles en temps de guerre, mais qui jouent, dans la prospérité et le confort du pays, un rôle capital.

« Un roi ou un Commodore préférera les astronefs et fera peut-être même la guerre, coûte que coûte. Tout au long de l'Histoire, les usurpateurs ont toujours sacrifié le bien-être de leurs sujets à ce qu'ils appellent l'honneur, la gloire, la conquête. Mais ce sont, en définitive, les petites choses qui comptent dans la vie : et Asper Argo ne pourra résister à la crise économique qui, dans deux ou trois ans, va ravager Korell. »

Sutt était près de la fenêtre, tournant le dos à Mallow et à Jael. Le soir venait, et les rares étoiles qui brillaient aux confins de la Galaxie commençaient à scintiller faiblement dans le ciel noir où quelque part, très loin, se dressait encore la formidable puissance de l'Empire.

« Non, dit enfin Sutt. Non, cela ne me plaît pas.

— Vous ne me croyez pas ?

— Je veux dire que je n'ai pas confiance en vous. Vous avez la parole trop facile. Vous m'avez dupé déjà, alors que je croyais votre cas réglé, lors de votre premier voyage sur Korell. Quand j'ai cru vous avoir coincé dans ce procès, vous vous êtes encore tiré du mauvais pas ; bien mieux, votre démagogie vous a porté à la Mairie. On ne peut pas se fier à vous : il n'y a pas un motif chez vous qui n'en dissimule un autre ; pas de déclaration qui n'ait ses sous-entendus.

« Supposons que vous soyez un traître. Supposons que, de votre visite en territoire impérial, vous ayez rapporté l'assurance qu'on vous donnerait un jour tous les appuis nécessaires pour vous maintenir au pouvoir. Que feriez-vous d'autre que ce que vous faites maintenant ? Vous provoqueriez une guerre après vous être arrangé pour accroître les forces de l'ennemi. Vous contraindriez la Fondation à observer une attitude résolument passive. Et vous trouveriez, pour chacune de vos attitudes, une explication si plausible qu'elle convaincrait tout le monde.

— Vous voulez dire qu'il n'y a pas de compromis possible entre nous ? demanda Mallow d'une voix douce.

— Je veux dire que vous devez renoncer, de gré ou de force, au pouvoir.

— Je vous ai prévenu de ce qui vous attendait au cas où vous refuseriez de collaborer. »

Jorane Sutt était rouge de colère : « Et moi, je vous préviens, Mallow, de Smyrno, que si vous m'arrêtez, ce sera la lutte sans merci. Mes hommes iront partout répandre la vérité sur votre compte, et le peuple de la Fondation s'unira contre son souverain étranger. Ces gens ont un sens de la destinée qu'un Smyrnien ne peut comprendre et qui fera votre perte.

— Emmenez-le, dit Hober Mallow aux deux gardes qui venaient d'entrer. Il est en état d'arrestation.

— C'est votre dernière chance », dit Sutt.

Mallow écrasa le mégot de son cigare dans le cendrier sans même lever les yeux.

Cinq minutes plus tard, Jael s'agita dans son fauteuil et demanda d'un ton las : « Eh bien maintenant que vous venez de donner un martyr à leur cause, qu'allez-vous faire ? »

Mallow cessa de jouer avec le cendrier. « Ce n'est plus le Sutt que j'ai connu, dit-il. La colère l'aveugle. Galaxie ! il me déteste.

— Il en est d'autant plus dangereux.

— Allons donc ! Il a perdu toute faculté de jugement.

— Vous êtes beaucoup trop optimiste, Mallow, fit Jael. Vous ignorez délibérément la possibilité d'un soulèvement populaire.

— Sachez-le une fois pour toutes, Jael : un soulèvement populaire est impossible.

— Vous êtes bien sûr de vous !

— Je suis sûr de la crise Seldon et de l'importance historique de sa solution, sur le plan intérieur comme sur le plan extérieur. Je n'ai pas tout dit à Sutt : il a essayé de contrôler la Fondation elle-même par la religion, comme il dominait les provinces, et il a échoué : ce qui est la preuve évidente que, dans le plan de Seldon, le rôle de la religion est achevé.

« Le contrôle par le biais de l'économie a donné de meilleurs résultats. Si nos relations commerciales avec Korell ont fait la prospérité de cette planète, nous n'y avons rien perdu de notre côté. Si demain les usines korelliennes ne peuvent plus tourner sans nous, si la prospérité des provinces s'épanouit par suite de l'isolationnisme économique nos propres usines péricliteront, faute de débouchés, et notre économie ne sera plus qu'un souvenir.

« Or, il n'est pas une usine, pas un centre commercial, par une compagnie de navigation interstellaire qui ne soit sous ma domination, pas une de ces entreprises que je ne puisse étrangler si Sutt poursuit sa propagande révolutionnaire. Partout où cette propagande donnera des résultats, ou semblera en donner, je veillerai à ce que la prospérité économique cesse. Là où les efforts de Sutt échoueront, la situation demeurera florissante, car mes usines continueront à tourner normalement.

« Et, de même que je suis sûr de voir bientôt les Korelliens se révolter pour retrouver leur confort et leur prospérité, je suis non moins certain que nous ne ferons rien, nous, pour perdre ces mêmes avantages. Par conséquent, il faut jouer le jeu jusqu'au bout.

— C'est donc une ploutocratie que vous voulez instaurer, dit Jael. Vous faites de la Fondation un pays de commerçants et de Princes Marchands. Que nous réserve l'avenir ?

— Qu'ai-je à me soucier de l'avenir ? s'écria Mallow. Nul doute que Seldon l'a prévu et qu'il a préparé sa venue. Il se produira d'autres crises quand la puissance de l'argent aura décliné, comme c'est aujourd'hui le cas de celle de la religion. A mes successeurs de résoudre ces problèmes, comme je viens de régler celui qui nous occupe aujourd'hui. »

KORELL : ... *C'est ainsi qu'après trois ans de la guerre la moins active sans doute de toute l'histoire, la République de Korell capitula sans condition ; et Hober Mallow vint prendre place dans le cœur du peuple de la Fondation, auprès de Hari Seldon et de Salvor Hardin.*

ENCYCLOPEDIA GALACTICA.

TABLE

PREMIÈRE PARTIE 9

DEUXIÈME PARTIE 45

TROISIÈME PARTIE 85

QUATRIÈME PARTIE 141

CINQUIÈME PARTIE 165

DÉJÀ PARUS
DANS LA MÊME COLLECTION
« Présence du futur »

Auteur	Titre	N°
Abbott (Edwin)	*Flatland*	110
Adams (Douglas)	*Guide du routard galactique*	340
—	*Le dernier restaurant avant la fin du monde*	351
Aldani (Lino)	*Bonne nuit Sophia*	88
—	*Quand les racines*	260
—	*Éclipses 2000*	303
Aldiss (Brian)	*Croisière sans escale*	29
—	*L'espace, le temps et Nathanaël*	39
—	*Équateur*	58
—	*Airs de Terre*	81
—	*Barbe-Grise*	95
—	*L'instant de l'éclipse*	164
—	*Nouveaux venus, vieilles connaissances*	312
Anderson (Poul)	*Les croisés du cosmos*	57
—	*Le monde de Satan*	130-131
Andrau (Marianne)	*Les faits d'Eiffel*	37
Andrevon (J.-P.)	*Les hommes-machines contre Gandahar*	118
—	*Aujourd'hui, demain et après*	124
—	*Cela se produira bientôt*	135
—	*Le temps des grandes chasses*	162
—	*Retour à la Terre 1*	189
—	*Repères dans l'infini*	198
—	*Retour à la Terre 2*	216
—	*Le désert du monde*	235
—	*Retour à la Terre 3*	242
—	*Paysages de mort*	253
—	*Dans les décors truqués*	269
—	*Compagnons en terre étrangère 1*	284
—	*Compagnons en terre étrangère 2*	293
—	*L'oreille contre les murs*	310
—	*Neutron*	320
Andrevon-Cousin	*L'immeuble d'en face*	344
Arnoux (Alexandre)	*Le règne du bonheur*	40
Asimov (Isaac)	*Fondation*	89
—	*Fondation et empire*	92
—	*Seconde fondation*	94
—	*La fin de l'éternité*	105
—	*Histoires mystérieuses, tome I*	113
—	*Histoires mystérieuses, tome II*	114
—	*Quand les ténèbres viendront*	123
—	*L'amour, vous connaissez ?*	125

— *Les dieux eux-mêmes* ... 173
— *Dangereuse Callisto* ... 182
— *Noël sur Ganymède* ... 187
— *Chrono-minets* ... 191
— *La mère des mondes* ... 199
— *Flûte, flûte et flûtes !* ... 232
— *Cher Jupiter* ... 233
— *L'homme bicentenaire* ... 255
— *Jusqu'à la 4e génération* ... 301
— *Fondation foudroyée* ... 357
Atkins (John) ... *Les mémoires du futur* ... 27
Ballard (J.-G.) ... *Le monde englouti* ... 74
— *Cauchemar à quatre dimensions* ... 82
— *La forêt de cristal* ... 98
— *Appareil volant à basse altitude* ... 246
— *Salut l'Amérique* ... 326
Barets (Stan) ... *Catalogue des âmes et cycles de la S.-F.* ... 275
Barjavel (René) ... *Le voyageur imprudent* ... 23
— *Le diable l'emporte* ... 33
Beaumont (Charles) ... *Là-bas et ailleurs* ... 31
Belcampo ... *Le monde fantastique de Belcampo* ... 67
Bendford (Gregory) ... *Un paysage du temps 1* ... 332
— *Un paysage du temps 2* ... 333
Bester (Alfred) ... *L'homme démoli* ... 9
— *Terminus les étoiles* ... 22
Blackwood (Algernon) ... *Élève de quatrième... dimension* ... 91
— *Migrations* ... 101
— *Le Wendigo* ... 160
— *Le camp du chien* ... 201
Blish (James) ... *Un cas de conscience* ... 30
— *Terre, il faut mourir* ... 50
— *Aux hommes, les étoiles* ... 80
— *Villes nomades* ... 99
— *La terre est une idée* ... 103-104
— *Un coup de cymbales* ... 106
— *L'œil de Saturne* ... 166
— *Les quinconces du temps* ... 227
Bouquet (J.-L.) ... *Aux portes des ténèbres* ... 11
Boyd (John) ... *Dernier vaisseau pour l'Enfer* ... 133
— *La planète Fleur* ... 140
— *La ferme aux organes* ... 147-148
— *Les libertins du ciel* ... 183
— *Quotient intellectuel à vendre* ... 210
— *Le gène maudit* ... 219
— *L'envoyé d'Andromède* ... 241
Bradbury (Ray) ... *Chroniques martiennes* ... 1
— *L'homme illustré* ... 3
— *Fahrenheit 451* ... 8

Auteur	Titre	N°
—	*Les pommes d'or du soleil*	14
—	*Le pays d'octobre*	20
—	*Un remède à la mélancolie*	49
—	*La foire des ténèbres*	71
—	*Les machines à bonheur*	84-85
—	*Je chante le corps électrique*	126-127
—	*Théâtre pour demain... et après*	168
—	*Bien après minuit*	248
—	*La Colonne de feu*	268
—	*Un dimanche tant bien que mal*	272
Brown (Fredric)	*Une étoile m'a dit*	2
—	*Martiens go home*	17
—	*Fantômes et farfafouilles*	65
—	*Lune de miel en enfer*	75
—	*L'univers en folie*	120
Brunner (John)	*Stimulus*	77
—	*L'orbite déchiquetée*	137
Brussolo (Serge)	*Vue en coupe d'une ville malade*	300
—	*Aussi lourd que le vent*	315
—	*Sommeil de sang*	334
—	*Portrait du diable en chapeau melon*	348
—	*Carnaval de fer*	359
Budrys (Algis)	*Michaelmas*	270
Caidin (Martin)	*Cyborg*	186
Campbell (J.-W.)	*Le ciel est mort*	6
Capoulet-Junac (Ed. de)	*Pallas ou la tribulation*	100
Card (O. S.)	*Une planète nommée Trahison*	306
—	*Les maîtres chanteurs*	337
—	*Sonate sans accompagnement*	349
Carr (Terry)	*La science-fiction pour ceux qui détestent la science-fiction*	107
Clarke (Arthur C.)	*Demain, moisson d'étoiles*	36
—	*La cité et les astres*	143
Clement (Hal)	*Grains de sable*	121
Cooper (Edmund)	*Pygmalion 2113*	32
—	*Pas de quatre*	79
—	*La dixième planète*	221
Cowper (Richard)	*Le crépuscule de Briareus*	214
—	*Deux univers*	223
—	*Les gardiens*	259
—	*La route de Corlay*	278
—	*Le réseau des mages*	313
—	*La moisson de Corlay*	350
Curtis (J.-L.)	*Un saint au néon*	13
Curval (Philippe)	*Futurs au présent*	256
—	*La forteresse de coton*	280
—	*Le dormeur s'éveillera-t-il ?*	282

Auteur	Titre	Page
—	*Regarde, fiston s'il n'y a pas un extra-terrestre*	305
—	*L'odeur de la bête*	329
Davies (L. P.)	*L'homme artificiel*	102
Defontenay (C.-I.)	*Star ou Psi de Cassiopée*	145
Dick (Ph.) Zelazny (R.)	*Deus Irae*	238
Dick (Ph.)	*Substance mort*	252
—	*Siva*	317
—	*L'invasion divine*	338
—	*La transmigration de Timothy Archer*	356
Disch (Thomas)	*Au cœur de l'écho*	144
—	*Poussière de lune*	172
—	*334*	203
—	*Sur les ailes du chant*	290
—	*L'homme sans idées*	352
Dorémieux (Alain)	*Promenades au bord du gouffre*	264
—	*Couloirs sans issue*	323
Douay (Dominique)	*Strates*	249
—	*Cinq solutions pour en finir*	261
—	*L'impasse-temps*	302
—	*Le monde est un théâtre*	331
Duits (Charles)	*Ptah hotep 1*	294
—	*Ptah hotep 2*	295
Duncan (David)	*Le rasoir d'Occam*	38
Dunsany (Lord)	*La fille du roi des Elfes*	206
Duvic (Patrice)	*Poisson-pilote*	286
Farca (Marie-C.)	*Terre*	185
—	*Terre 10^{11}*	254
Fontana (Jean-Pierre)	*Shéol*	222
Franke (Herbert W.)	*La cage aux orchidées*	73
Frayn (Michaël)	*Une vie très privée*	117
Frémion (Yves)	*Territoires du tendre*	335
Galouye (Daniel F.)	*Le monde aveugle*	68
—	*Les seigneurs des sphères*	87
Glaskin (G.-M.)	*Billets de logement*	53
Goy (Philip)	*Le Père éternel*	176
—	*Le livre/machine*	193
—	*Vers la révolution*	247
—	*Faire le mur*	307
Grimaud (Michel)	*Malakansăr l'éternité des pierres*	296
—	*La dame de cuir*	325
Guiot (Denis)	*Pardonnez-nous vos enfances*	250
Haldeman (Joe)	*Pontesprit*	240
—	*En mémoire de mes péchés*	267
—	*Couloirs sans issue*	323
Heinlein (R. A.)	*Marionnettes humaines*	158-159
Hougron (Jean)	*Le signe du Chien*	44
Hoyle (F. et G.)	*Inferno*	204

—	*Au plus profond de l'espace*	245
Hubert (J.P.)	*Le champ du rêveur*	355
Jakubowski (Maxim)	*Loin de Terra*	69
—	*Galaxies intérieures 1*	224
—	*Galaxies intérieures 2*	271
—	*Galaxies intérieures 3*	319
—	*Vingt maisons du Zodiaque*	279
Jeppson (J. O.)	*La seconde expérience*	217
Jeschke (Wolgang)	*Le dernier jour de la création*	316
Jones (Gonner)	*Céphalopolis*	112
Joseph (M. K.)	*Le trou dans le zéro*	116
Jouanne (Emmanuel)	*Damiers imaginaires*	336
Kazantzev (Alexandre)	*Le chemin de la Lune*	78
Klein (Gérard)	*Les perles du temps*	26
—	*Le temps n'a pas d'odeur*	63
Kuttner (H.) et Moore (C. L.)	*Déjà demain*	153-154
Lafferty (R. A.)	*Lieux secrets et vilains messieurs*	263
Langlais (Xavier de)	*L'Ile sous cloche*	86
Laumer (Keith)	*L'ordinateur désordonné*	93
Le Fanu (Sheridan)	*Carmilla*	42
Lem (Stanislas)	*Solaris*	90
—	*La Cybériade*	109
—	*La voix du maître*	211
—	*Retour des étoiles*	288
—	*Les voyages électriques d'I. Tichy*	311
—	*Contes Inoxydables*	332
Ligny (Jean-Marc)	*Temps blancs*	273
—	*Biofeedback*	289
—	*Furia*	346
Lindsay (David)	*Un voyage en Arcturus*	207
Lo Duca (J.M.)	*La sphère de platine*	360
Lovecraft (H.-P.)	*La couleur tombée du ciel*	4
—	*Dans l'abîme du temps*	5
—	*Par-delà le mur du sommeil*	16
—	*Je suis d'ailleurs*	45
Mackenzie (Compton)	*La république lunatique*	35
Malaguti (Ugo)	*Le palais dans le Ciel*	200
Martini (Virgilio)	*Le monde sans femmes*	129
Matheson (R.)	*Je suis une légende*	10
—	*L'homme qui rétrécit*	18
—	*Le jeune homme, la mort et le temps*	230
Miller (W.-M.)	*Un cantique pour Leibowitz*	46
—	*Humanité provisoire*	70
Mitchison (Naomi)	*Mémoires d'une femme de l'espace*	64
Mohs (Mayo)	*Autres dieux, autres mondes*	184
Moorcock (Michaël)	*Une chaleur venue d'ailleurs*	197
—	*Les terres creuses*	218

—	*La fin de tous les chants*	281
—	*Légendes de la fin des temps*	304
Moore (Ward)	*Encore un peu de verdure*	194
—	*Autant en emporte le temps*	229
Nolan (W.) et Johnson (C.)	*Quand ton cristal mourra*	115
Oliver (Chad)	*Ombres sur le soleil*	12
Paulhac (Jean)	*Un bruit de guêpes*	19
Pawlowski (G. de)	*Voyage au pays de la 4e dimension*	56
Pelot (Pierre)	*Fœtus-party*	225
—	*Canyon street*	265
—	*La guerre olympique*	297
—	*Mourir au hasard*	339
Pohl (F.) et Kornbluth (M. C.)	*Planète à gogos*	134
Ray (Jean)	*Malpertuis*	7
Reed (Kit)	*Des vacances inoubliables*	354
Renard (C.) et Cheinisse (C.)	*A la croisée des parallèles*	318
Roshwald (M.)	*Les mutinés du « Polar Lion »*	62
Rosny (J.-H.) (Aîné)	*La mort de la Terre*	25
Rossignoli (E. de)	*H sur Milan*	97
Russel (Eric Frank)	*Guerre aux invisibles*	132
Santos (Domingo)	*Gabriel, histoire d'un robot*	108
Sargent (Pamela)	*Femmes et merveilles*	208
Scott-Card (Orson)	*Sonate sans accompagnement*	349
Seriel (Jérôme)	*Le satellite sombre*	59
Shaw (Bob)	*Une longue marche dans la nuit*	215
—	*Qui va là ?*	274
Sheckley (Robert)	*Pèlerinage à la Terre*	43
Shiel (H. P.)	*Le nuage pourpre*	149-150
Simak (Clifford D.)	*La croisade de l'idiot*	52
—	*Tous les pièges de la Terre*	66
—	*Une certaine odeur*	76
—	*Le principe du loup-garou*	111
—	*La réserve des lutins*	119
—	*A chacun ses dieux*	169
—	*A pied, à cheval et en fusée*	175
—	*Les enfants de nos enfants*	192
—	*Le dernier cimetière*	202
—	*Le pèlerinage enchanté*	228
—	*La planète de Shakespeare*	239
—	*Héritiers des étoiles*	266
Soria (Georges)	*La grande quincaillerie*	209
Sprague de Camp (L.)	*Le coffre d'Avlen*	122
—	*A l'heure d'Iraz*	180
Stapledon (Olaf)	*Les derniers et les premiers*	155
—	*Rien qu'un surhomme*	178

—	*Les derniers hommes à Londres*	195
—	*Sirius*	212
Sterling (Bruce)	*La baleine des sables*	285
—	*Le gamin artificiel*	340
Sternberg (Jacques)	*La sortie est au fond de l'espace*	15
—	*Entre deux mondes incertains*	21
Stewart (F. M.)	*L'enfant étoile*	220
Strougatski (A. et B.)	*Il est difficile d'être un dieu*	161
—	*Le lundi commence le samedi*	179
—	*Un gars de l'Enfer*	244
—	*Stalker*	314
Sturgeon (T.)	*Le cœur désintégré*	231
Sussan (René)	*Les confluents*	41
—	*L'anneau de fumée*	188
Suvin (Darko)	*Autres mondes, autres mers*	174
Szilard (Léo)	*La voix des dauphins*	55
Tevis (Walter)	*L'homme tombé du ciel*	171
—	*Loin du pays natal*	347
Tiptree (James Jr)	*Par-delà les murs du monde*	283
Tucker (James B.)	*Pas de place pour eux sur la terre*	163
Turner (Frederick)	*Mars aux ombres sœurs*	287
Van Vogt (A.-E.)	*La cité du grand juge*	24
Vance (Jack)	*Les langages de Pao*	83
Varley (John)	*Dans le palais des rois martiens*	276
—	*Les yeux de la nuit*	277
—	*Titan*	298
—	*Sorcière*	308
—	*Les Mannequins*	343
Véry (Pierre)	*Tout doit disparaître le 5 mai*	48
—	*Le pays sans étoiles*	51
Villaret (Bernard)	*Deux soleils pour Artuby*	141
—	*Le chant de la coquille Kalasaï*	170
—	*Visa pour l'outre-temps*	213
Vonarburg (Elisabeth)	*Le silence de la cité*	327
Vonnegut (Kurt)	*Les sirènes de Titan*	60
Walling (William)	*N'y allez pas*	177
Walther (Daniel)	*Krysnak ou le complot*	258
—	*Happy end*	342
Wilhelm (Kate)	*Hier, les oiseaux*	234
—	*Le village*	257
—	*Quand Somerset rêvait*	299
—	*Le temps des genévriers*	309
—	*La mémoire de l'ombre*	353
Williamson (Jack)	*Plus noir que vous ne pensez*	151-152
Wolfe (Gene)	*L'ombre du bourreau*	321
—	*La griffe du Demi-Dieu*	345
—	*L'épée du licteur*	361
Wul (Stefan)	*Niourk*	128

—	*Rayons pour Sidar*	136
—	*Oms en série*	146
—	*Noô 1*	236
—	*Noô 2*	237
Wyndham (John)	*Les coucous de Midwich*	28
—	*Le temps cassé*	34
—	*L'herbe à vivre*	54
—	*Le péril vient de la mer*	165
Yarbro (Chelsea Q.)	*Fausse aurore*	292
—	*Ariosto furioso*	328
Zelazny (Roger)	*Royaumes d'ombre et de lumière*	142
—	*Toi l'immortel*	167
—	*Seigneur de lumière*	181
—	*Les 9 princes d'Ambre*	190
—	*Les fusils d'Avalon*	196
—	*Le sérum de la déesse bleue*	205
—	*Aujourd'hui, nous changeons de visage*	226
—	*La pierre des étoiles*	243
—	*Le signe de la Licorne*	251
—	*La main d'Obéron*	262
—	*Les cours du chaos*	291
—	*Repères sur la route*	324
—	*L'œil de chat*	358

Cet ouvrage reproduit
par procédé photomécanique
a été achevé d'imprimer le 14 mars 1983
sur les presses de l'Imprimerie Bussière
à Saint-Amand (Cher)

— N° d'édit. 1471. — N° d'imp. 636. —
Dépôt légal : mars 1983.

Imprimé en France

1471